穴位拔罐

全真圖解

李志剛 主編

www.cosmosbooks.com.hk

書　　名　穴位拔罐全真圖解

主　　編　李志剛

責任編輯　王穎嫻

封面設計　郭志民

出　　版　天地圖書有限公司

　　　　　香港皇后大道東109-115號

　　　　　智群商業中心15字樓（總寫字樓）

　　　　　電話：2528 3671 傳真：2865 2609

　　　　　香港灣仔莊士敦道30號地庫／1樓（門市部）

　　　　　電話：2865 0708 傳真：2861 1541

印　　刷　美雅印刷製本有限公司

　　　　　香港九龍官塘榮業街6號海濱工業大廈4字樓A室

　　　　　電話：2342 0109　傳真：2790 3614

發　　行　香港聯合書刊物流有限公司

　　　　　香港新界大埔汀麗路36號中華商務印刷大廈3字樓

　　　　　電話：2150 2100 傳真：2407 3062

出版日期　2019年11月 初版 · 香港

體質與身體狀況因人而異，本書提及之方藥及治療方法，
並不一定適合每一個人。
讀者如有疑問，宜諮詢註冊中醫師。

前言

　　中醫自成體系，源遠流長而又博大精深，擁有許多獨特的治療方法。經穴療法就是其中的一大類，包括按摩、刮痧、拔罐、艾灸、敷貼等療法，這些療法都是通過刺激體表穴位以調整臟腑功能來達到治療疾病的目的。這些療法操作簡單、安全有效、無毒副作用，對於如頸椎病、哮喘、腦卒中後遺症等這些西醫療效欠佳的慢性病、疑難病能收到意想不到的效果。基於上述優點，中醫經穴療法也因而被稱為 21 世紀的「自然療法」或「綠色療法」。

　　拔罐療法是中醫經絡療法中的一種，又稱「火罐氣」「角法」。它是以杯罐為工具，借助熱力排去其中的空氣產生負壓，使其吸附於穴位皮膚或者患處，通過吸拔和溫熱刺激等，造成人體局部發生瘀血現象的一種治療方法。拔罐療法簡單易學，療效顯著，適用範圍廣泛，臨床應用擴展到內、外、婦、兒、骨、皮膚、五官等諸多分科，已經被越來越多的人所接受和運用。

　　本書用通俗易懂的語言講解了拔罐的中醫理論基礎，如拔罐的作用，各種拔罐器具，常見疾病的拔罐方法，拔罐的注意事項等，並且採用了圖文並茂的形式，有真人自助取穴圖和操作圖，解決了取穴難、找穴不準的情況，清晰地將每個穴位展現給讀者，現在，你只需一步一步跟着本書的講解，就可以進行自我診斷和保健。無論你有無醫學基礎，都可以輕鬆入門，給自己和家人帶來一份健康。

目錄

第 3 章

拔罐養生，未病先防

第1章

祖先留給我們的
養生袪病秘方——
拔罐

在古代，拔罐法被稱為「角法」，現在通常稱為「拔火罐」或「拔罐子」。拔罐法是一種借燃燒、溫熱或抽氣等方式使罐內產生負壓而直接吸附於皮膚表面，造成瘀血現象而達到治療目的的方法，並且經常與針灸，放血療法配合使用。本章從拔罐功效、基礎拔罐方法、注意事項、重要細節等方面詳細介紹了拔罐基礎知識。

拔罐保健袪病的四大作用

拔罐是一種古老的民間醫術，傳統拔罐以罐為工具，借熱力排去其中的空氣產生負壓，使之吸附於皮膚，造成瘀血現象的一種療法。穴位是人體臟腑經絡之氣輸注於體表的部位，也是邪氣所客之處。在防治疾病時，穴位是治療疾病的刺激點與反應點，可以調和氣血，使陰陽歸於平衡，臟腑趨於調和，從而袪除病邪。穴位拔罐可以增強機體免疫力，防病治病，臨床實踐證明：拔罐一般有以下四大作用。

◎負壓作用

國內外學者研究發現，人體在罐體負壓吸拔的時候，皮膚表面有大量氣體溢出，從而可以加強局部組織的氣體交換。通過檢查，觀察到負壓使局部的毛細血管通透性發生變化和毛細血管破裂，小量血液進入組織間隙，從而產生瘀血，紅細胞受到破壞，血紅蛋白釋出，出現自身溶血現象。機體在自我調整中產生了行氣活血、舒筋活絡、消腫止痛、袪風除濕等功效，起到一種良性刺激，促其恢復正常功能的作用。

◎溫熱作用

火罐法對局部皮膚有溫熱刺激作用，以大火罐、水罐、藥罐最明顯。溫熱刺激能使血管擴張，促進以局部為主的血液循環，改善充血狀態，加強新陳代謝，使體內的廢物、毒素加速排出，改變局部組織的營養狀態，增強血管壁的通透性，增強白細胞和網狀細胞的吞噬作用，增強局部耐受性和機體的抵抗力，起到溫經散寒、清熱解毒等作用，從而促使疾病好轉。

◎調節作用

拔罐法的調節作用是建立在負壓或溫熱作用的基礎上的，首先是對神經系統的調節作用，由於自身溶血等給予機體一系列良性刺激，作用於神經系統末梢感受器，經向心傳導，到達大腦皮質；加之拔罐法對局部皮膚的溫熱刺激，通過皮膚感受器和血管感受器的反射途徑傳到中樞神經系統，從而發生反射性興奮，借以調節大腦皮質的興奮與抑制過程，使之趨於平衡，並加強大腦皮質對身體各部份的調節功能，促進機體恢復功能，使疾病逐漸痊癒。

其次是調節微循環，提高新陳代謝。微循環的主要功能是進行血液與組織間物質的交換，其功能的調節在生理、病理方面都有重要意義。此外拔罐還能使淋巴循環加強，促進淋巴細胞的吞噬能力。

◎雙向良性調整作用

拔罐具有雙向良性調節作用。如在中脘穴拔罐，當腸胃處於抑制狀態時，拔罐可興奮腸胃功能，當腸胃處於興奮狀態時，拔罐可抑制腸胃功能；在天樞穴拔罐，當人體出現便秘時，拔罐可起到通便作用，當人體出現洩瀉時，拔罐又可起到止瀉作用。

簡便取穴法，教您輕鬆找到穴位

使用經絡穴位是一項技術活，也可以說是一把雙刃劍，如果找對了穴位，再加上適當的操作手法，便可以緩解身體的各類疾病；但如果在一竅不通或是一知半解的情況下胡亂擺弄，則往往會弄巧成拙。所以，拔罐之前，要學會如何找準穴位。

◎手指同身寸度量法

手指同身寸度量取穴法是指以患者本人的手指為標準度量取穴，是臨床取穴定位常用的方法之一。這裏所說的「寸」，與一般尺制度量單位的「寸」是有區別的，是用被取穴者的手指作尺子測量的。由於人有高矮胖瘦之分，不同的人用手指測量到的一寸也不等長。因此，測量穴位時要用被測量者的手指作為參照物，才能準確地找到穴位。

(1) 拇指同身寸：拇指指間關節的橫向寬度為 1 寸。

(2) 中指同身寸：中指中節屈曲，內側兩端紋頭之間作為 1 寸。

(3) 橫指同身寸：又稱「一夫法」，指的是食指、中指、無名指、小指併攏，以中指近端指間關節橫紋為準，四指橫向寬度為 3 寸。

另外，食指和中指二指指腹橫寬（又稱「二橫指」）為 1.5 寸。食指、中指和無名指三指指腹橫寬（又稱「三橫指」）為 2 寸。

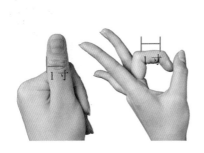  

◎簡便定位法

簡便定位法是臨床中一種簡便易行的腧穴定位方法。如立正姿勢，手臂自然下垂，其中指端在下肢所觸及處為風市；兩手虎口自然平直交叉，一手指壓在另一手腕後高骨的上方，其食指盡端到達處取列缺等。此法是一種輔助取穴方法。

◎標誌參照法

固定標誌：常見確定穴位的標誌有眉毛、乳頭、肚臍、指甲、趾甲、腳踝等。如：神闕穴位於腹部臍中央。

動作標誌：需要做出相應動作姿勢才能顯現的標誌，如張口取耳屏前凹陷處即為聽宮穴。

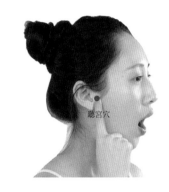

聽宮穴

◎骨度分寸法

此法始見於《靈樞·骨度》篇。它將人體的各個部位分別規定其折算長度，作為量取腧穴的標準。如前後髮際間為 12 寸；兩乳間為 8 寸；胸骨體下緣至臍中為 8 寸；臍孔至恥骨聯合上緣為 5 寸；腋前（後）橫紋至肘橫紋為 9 寸；肘橫紋至腕橫紋為 12 寸；股骨大粗隆（大轉子）至膝中為 19 寸；膝中至外踝尖為 16 寸等。

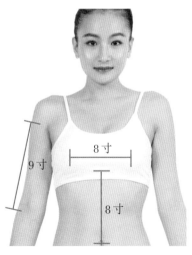

9寸

8寸

8寸

常用的基礎拔罐方法

拔罐方法眾多，每種拔罐方法都有其各自的特點、適應證及適用的部位。根據病情的需要，採取不同的拔罐方法，改變罐體對身體的刺激量和範圍，達到強身祛病的目的。下面為大家詳細介紹各種拔罐方法，以便您能夠更清晰、更直觀地了解和運用此種方法。

◎常規拔罐法

根據拔罐時使用罐的多少，主要分為單罐和多罐兩種方法。

01 單罐

用於病變範圍較小的病症或壓痛點。可按病變或壓痛的範圍大小，選用適當口徑的火罐。如胃病在中脘穴拔罐；岡上肌肌腱炎在肩髃穴拔罐；落枕在大椎穴及其疼痛部位拔罐；肩周炎在肩井穴拔罐；月經不調在關元穴拔罐等。

02 多罐

用於病變範圍比較廣泛的疾病。可按病變部位的解剖形態等情況，酌量吸拔數個乃至十幾個。如某一肌束勞損時可按肌束的位置成行排列吸拔多個火罐，稱為「排罐法」。可按臟器解剖部位的範圍在相應的體表部位縱橫並列吸拔幾個罐子。

◎閃罐法

閃罐法是臨床常用的一種拔罐手法，一般多用於皮膚不太平整、容易掉罐的部位。具體操作方法是用鑷子或止血鉗夾住蘸有適量酒精的棉球，點燃後送入罐底，立即抽出，將罐置於施術部位，然後將罐立即按下，按上法再次吸附於施術部位，如此反覆拔起多次至皮膚潮紅為止。通過反覆的拔、起，使皮膚反覆地緊、鬆，反覆地充血、不充血、再充血，形成物理刺激。閃罐法對神經和血管有一定的興奮作用，可增加細胞的通透性，改善局部血液循環及營養供應，適用於治療肌萎縮、局部皮膚麻木、痠痛或一些較虛弱的病症。採用閃火法操作時注意罐口應始終向下，棉球經過罐口時動作要快，避免罐口反覆加熱以致燙傷皮膚。

◎走罐法

走罐法又稱行罐法、推罐法及滑罐法等。走罐法宜選用玻璃罐或陶瓷罐，罐口應平滑，以防劃傷皮膚。具體操作方法是，先在將要施術的部位塗抹適量的潤滑液，然後用閃火法將罐吸附於皮膚上，循着經絡

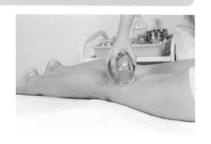

或需要拔罐的線路來回推罐，至皮膚出現瘀血為止。操作時應注意根據病人的病情和體質調整罐內的負壓，以及走罐的快、慢、輕、重。罐內的負壓不可過大，否則走罐時疼痛會較劇烈；推罐時應輕輕推動罐的頸部後側，用力要均勻，以防火罐脫落。

走罐法對不同部位應採用不同的行罐方法：腰背部沿垂直方向上下推拉；胸脇部沿肋骨走向左右平行推拉；肩、腹部採用罐具自轉或在應拔部位旋轉移動的方法；四肢部沿長軸方向來回推拉等。

◎轉罐法

　　轉罐法是先用閃火法將罐吸於皮膚上，然後手握罐體，來回轉動的方法。操作時手法宜輕柔，轉罐宜平穩，防止掉罐。轉動的角度要適中，角度過大患者不能忍受，過小無法達到刺激量。由於轉罐法對穴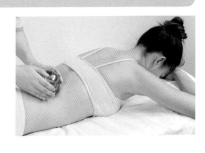位或皮膚能產生更大的牽拉刺激，加強了血液循環，增強了治療效果，所以多用於穴位治療或局部病症的治療。注意罐口應平滑，避免轉動時劃傷皮膚。轉罐法可與走罐法配合應用，在皮膚上塗抹適量的潤滑油，可減輕疼痛。

◎響罐法

　　響罐法是指在罐具吸定後，稍加推拉或旋轉隨即用力將罐具拔出，發出「啪」的響聲的一種拔罐方法。如此反覆吸拔，重複操作多次，以皮膚潮紅或呈紫紅色為度。此法與閃罐法功效相同，通常用小口徑罐具在局部面積較小的部位施術。

拔罐所需的工具

　　很多人都想在家裏由家人幫忙進行拔罐，以便隨時保健身體、排除毒素，但是如何正確選擇拔罐器具卻是困擾大家的問題。下面就向大家介紹正確選擇拔罐器具的方法，當你選擇好了正確的拔罐器具和合適的介質後，你就可以輕鬆地在家裏進行拔罐了！

◎常用罐

　　玻璃罐：玻璃拔罐是目前家庭最常用的拔罐器具，各大醫藥商店的器械專櫃均有出售。它是由玻璃加工製成，一般分為大、中、小三個型號。其形如球狀，下端開口，小口大肚。其優點是罐口光滑，質地透明，使用時可觀察到拔罐部位皮膚充血、瘀血程度，便於掌握情況；缺點是易摔碎損壞。

　　抽氣罐：醫藥商店的器械櫃有出售成品真空槍抽氣罐的，它是由有機玻璃或透明工程塑料製成，形如吊鐘，上置活塞便於抽氣。其優點是不用點火，不會燙傷，使用安全，可隨意調節罐內負壓，控制吸力，便於觀察等。它是家庭最適用的拔罐工具。

竹罐：將直徑 3～5 厘米的堅實成熟的竹子按節截斷，一端留節當底，一端去節做口，罐口打磨光滑，周圍削去老皮，做成中間略粗、兩端稍細，形如腰鼓的竹罐。此罐長約 10 厘米，罐口直徑分為 5 厘米、4 厘米、3 厘米三種。其優點是輕便、廉價。

◎輔助工具

燃料：酒精是拔罐過程中經常要用的燃料。拔罐時，一般要選用體積分數為 75%～95% 的酒精，如果身邊沒有酒精，可用度數稍高的白酒代替。

消毒用品：拔罐前要準備一些消毒清潔用品對器具和拔罐部位進行消毒，比如棉籤或酒精脫脂棉球等。

潤滑劑：常用的潤滑劑一般包括凡士林、植物油、液體石蠟等。還有一些潤滑劑是具有藥用療效的，如紅花油、松節油、按摩乳等，具有活血止痛、消毒殺菌的功效。

針具：在拔罐治療過程中，有時會用到針罐、刺血罐、抽氣罐，所以操作者還需要備用三棱針、皮膚針、注射器、針頭小眉刀、粗毫針、陶瓷片、滾刺筒等針具。其中，最常用的就是三棱針和皮膚針。

拔罐的注意事項

在拔罐的過程中，有很多需要注意的地方，如拔罐前的準備、最佳體位、罐具的選擇、拔罐時間的長短、拔罐的方法等，這些都影響着拔罐祛病的效果。下面我們對拔罐的注意事項作簡單的介紹。

◎ 做好拔罐前的準備

仔細檢查患者，以確定是否符合拔罐的適應證，根據病情，確定處方。準備好所需的用品，如酒精、棉球、止血鉗、打火機、罐子等。另外某些特殊拔罐法則還需要準備好其他相應物品。

◎ 選擇最佳體位

患者的體位正確與否，影響着拔罐的效果。正確的體位使患者感到舒適，施術部位可以充份暴露，便於操作。根據病情輕重、體質強弱、病患面積大小、年齡及皮膚的彈性等情況而定。一般採用的體位有以下幾種：

仰臥位：患者自然平躺床上，雙上肢平擺放於身體兩側。此法適合胸部、腹部、雙上肢、雙下肢及頭面部等處的拔罐。

俯臥位：患者俯臥床上，雙臂順平擺放於身體兩側。此法適合背部、腰部、臀部、雙下肢後側等部位的拔罐。

側臥位：患者側臥床上，同側的腿屈曲，另一條腿自然伸直，雙臂屈曲放於身體的前側，此法適合肩部、臂部、臀部、腿外側等部位的拔罐。

坐位：患者倒騎於帶靠背的椅子上，雙臂自然重疊，抱於椅背上。此法適合頸部、肩部等部位的拔罐。

◎罐具的選擇

根據拔罐部位的面積大小、患者體質強弱以及病情輕重，選擇適宜的罐具。

◎擦洗消毒

在選好的治療部位上，先用毛巾浸溫開水洗淨患部，再以乾紗布擦乾，為防止發生燙傷，一般不用酒精或碘酒消毒。在有毛髮的地方或毛髮附近拔罐時，應先剃毛。

◎溫罐

冬季、深秋、初春天氣寒冷，拔罐時為避免患者有寒冷感，可預先將罐放在火上燎烤。溫罐時要注意只烤烘底部，不可烤其口部，以防罐口過熱造成燙傷。溫罐時間，以罐子不涼或與皮膚溫度相等，或稍高於體溫為宜。

◎施術

首先將選好的部位顯露出來，術者靠近患者身邊，順手（或左或右）執罐按不同方法扣上。一般有兩種排序法：

（1）密排法：罐與罐之間的距離不超過1寸。用於身體強壯且有疼痛症狀者。有鎮靜、止痛、消炎之功，又稱「刺激法」。

（2）疏排法：罐與罐之間的距離相隔1～2寸。用於身體衰弱、肢體麻木、痠軟無力者。又稱「弱刺激法」。

◎詢問

火罐拔上後，應不斷詢問患者有何感覺。如果罐吸力過大，產生疼痛即應放入小量空氣。拔罐後病人如感到吸着無力，可起下來再拔一次。

拔罐時要做好的重要細節

拔罐是一種比較古老的治病方法，一般針灸、推拿適用的病症均適用拔罐治療，但在拔罐過程中我們還必須掌握其注意事項和一些重要的小細節，這樣既便於操作，也能最大限度地發揮拔罐的作用，獲得更好的療效。

（1）拔罐時，室內需保持20℃以上的溫度。尤其對須寬衣暴露皮膚的患者應避開風口，以免受涼感冒。最好在避風向陽處。

（2）患者以俯臥位為主，充份暴露施術部位的皮膚。

（3）選擇好拔罐部位或穴位，一般以肌肉豐滿、皮下組織充實及毛髮較少的部位進行拔罐為佳。

（4）拔罐過程中切忌移動體位，以免罐體脫落。使用罐體較多時，罐體間的距離不宜太近，以免罐體之間互相牽拉皮膚產生拉傷。

（5）前一次拔罐部位的斑塊未消之前，不宜在原處進行拔罐。

（6）罐體的吸附力過大時，可按擠一側罐口邊緣的皮膚，稍放一點空氣進入罐中。初次使用閃罐者或年老體弱者，宜用中、小號罐具。

（7）拔罐順序應從上到下，罐的型號則應上小下大。

（8）一般病情輕或有感覺障礙者（如下肢麻木者）拔罐時間要短。病情重、病程長、病灶深及疼痛較劇者，拔罐時間可稍長，吸附力稍大。

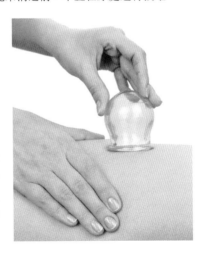

（9）針刺或刺血拔罐時，若用火罐，須待消毒部位酒精完全揮發後方可拔罐。否則易灼傷皮膚。

（10）留針拔罐時，要防止肌肉牽拉而造成彎針或折針，發現後要及時起罐，拔出針具。

（11）拔罐期間應密切觀察患者的反應。若出現頭暈、噁心、嘔吐、面色蒼白、出冷汗、四肢發涼，甚至血壓下降、呼吸困難等情況，應及時取下罐具，將患者仰臥位平放，輕者可給予小量溫開水，重者針刺人中、合谷，改善血液循環。必要時，應送醫及時治療。

（12）拔罐時間過長或吸力過大而出現水皰時，可塗甲紫，覆蓋紗布固定。如果水皰較大，可用注射器抽出皰內液體，然後用利凡諾紗布外敷固定。

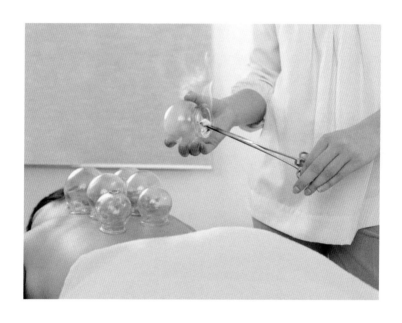

拔罐的適應證和禁忌證

　　經過數千年的改進和完善，拔罐療法已經從古代單一用來治療外科疾病，發展到現在內科、外科、婦科、兒科、骨科、皮膚科等疾病都能對症運用。即便如此，作為一種治療方法，拔罐必然也有它的局限性。所以在操作前，要認清拔罐的適應證和禁忌證。

◎拔罐的適應證

　　(1) 內科病症：感冒、咳嗽、肺炎、哮喘、心悸、不寐、多寐、健忘、胃脘痛、嘔吐、反胃、呃逆、慢性胃類、洩瀉、便秘、腹痛、胃下垂、眩暈、脅痛、胸悶、水腫、小便不利、癃閉、遺尿、遺精、陽痿、男性不育症、陰莖異常勃起症、急性外感熱病。

　　(2) 外科病症：丹毒、瘰病、乳腺炎、脫肛、急性闌尾炎、急性膽絞痛、急性胰腺炎、急性輸尿管結石。

　　(3) 骨科病症：落枕、頸椎病、腰椎間盤突出症、腰椎管狹窄症、腰肌勞損、急性腰扭傷、肩關節周圍炎、頸肩纖維織炎、肱骨外上髁炎、坐骨神經痛、股外側皮神經炎、肋軟骨炎、肋間神經痛、類風濕骨關節炎等。

　　(4) 婦科病症：經行先期、經行後期、經行先後無定期、月經過多、月經過少、閉經、痛經、白帶異常、妊娠嘔吐、產後缺乳、產後腹痛、人工流產綜合徵、更年期綜合徵、子宮脫垂、盆腔炎、陰癢、不孕症、產後排便困難、產後發熱等。

（5）兒科病症：小兒發熱、嘔吐、洩瀉、厭食、夜啼、遺尿、百日咳、腮腺炎等。

（6）皮膚科病症：帶狀皰疹、銀屑病、斑禿、濕疹、蕁麻疹、皮膚瘙癢、疥瘡、神經性皮炎、白癜風等。

（7）五官科病症：針眼、流淚症、沙眼、目癢、目赤腫痛、白內障、遠視、近視、視神經萎縮、鼻塞、鼻竇炎、鼻出血、咽喉腫痛、口瘡、牙痛、顳下頜關節紊亂綜合徵。

◎拔罐的禁忌證

（1）皮膚傳染病、皮膚嚴重過敏者或皮膚破損潰爛者。

（2）醉酒、過飢、過飽、過渴、過度疲勞者。

（3）惡性腫瘤患者、重度心臟病、心力衰竭、活動性肺結核。

（4）紫癜、血小板減少症、白血病、血友病等凝血功能差，具有出血傾向的疾病。

（5）腎衰、肝硬化腹水患者。

（6）外傷、骨折、水腫、靜脈曲張、大血管體表投影處。

（7）孕婦腹部、腰骶部、乳部禁止拔罐，其他部位手法應輕柔。

（8）五官、前後陰、乳頭、肚臍眼、心搏處、毛髮多的地方應禁止拔罐。

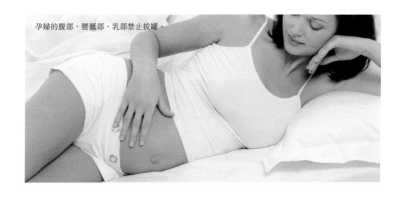

孕婦的腹部、腰骶部、乳部禁止拔罐。

罐印所代表的健康狀況

　　拔罐一定時間後，皮膚顏色與形態會有所變化，就形成了罐印。罐印可為潮紅、紅點、紫斑等，甚至出現深紅、紫黑、青斑，觸之微痛。由於體質和身體狀況不同，每個人拔罐後罐印的顏色、形態也會有所不同。下面簡單介紹罐印所代表的健康狀況。

　　拔罐後，不同罐印代表不同的健康狀況和疾病恢復狀態，大致分類如下：

　　（1）點狀紫紅色小皰及伴有不同程度的熱痛感或少量水珠溢出的，是正常罐印，持續 1 ～ 5 天即可消失。

　　（2）走罐或吸拔罐後，沒有罐印，或罐印不明顯的，或雖有罐印但起罐後立即消失，恢復常色的，提示身體基本正常或病情尚輕。

　　（3）罐印鮮紅，提示陰虛或氣陰兩虛，陰虛火旺時也會出現。

　　（4）罐印鮮紅並伴有發熱，提示體內有熱毒。

　　（5）罐印紫紅或紫黑，提示體內有熱毒或瘀血。

　　（6）罐印紫紅、紫黑，並伴有水珠或水氣，提示體內多有濕熱。

　　（7）罐印發紫伴有斑塊或罐印黑而黯淡，提示有局部寒凝血瘀。若罐印數天不退，通常表示病程已久，需要較長的時間來調理。

　　（8）若走罐時出現大面積黑紫印時，提示風寒所犯面積大。

　　（9）若走罐時出現風團，像急性蕁麻疹症狀時，提示患者為風邪所致，也可能是過敏性體質。

（10）罐印淡紫、發青並伴有印塊，提示為外感風寒。

（11）罐印呈散開性的紫點，深淺不一，提示為氣滯血瘀之症。

（12）罐印或拔罐後的罐壁內有少許水珠、水氣時，提示體內多有濕氣。若在患部出現較多小水皰時，預示由水濕所致。

（13）若大面積走罐後，罐印呈鮮紅散點在某穴及其附近集中，提示這個穴位所相關的臟腑有異常或存在病情。

（14）罐印淡紫並伴有斑塊的，提示以虛證為主，兼有血瘀。若斑點在穴位處明顯的，表明此穴位相關內臟虛弱。若在腎俞穴處呈現，則提示腎虛。

（15）在拔罐治療過程中，隨着病情的好轉，罐印也會隨之減輕，且不易出現罐印。

第 2 章

拔罐
祛病保健康

　　許多人在備受疾病折磨的情況下，往往不知道自己該做甚麼，該如何調理身體，才能緩解疾病症狀。拔罐是目前公認的趕走亞健康、緩解心理壓力最好的手段之一，而且相對來說更綠色、更經濟。隨着中醫拔罐實踐的不斷累積，人們現在已經逐漸摸索出針對各種疾病有效而安全的自我拔罐療法。本章圖文並茂，將詳細圖解各科疾病的拔罐療法。

⓺ 呼吸系統疾病

感冒

感冒，中醫稱「傷風」，是一種由多種病毒引起的呼吸道常見病。感冒一般分為風寒感冒和風熱感冒。風寒感冒起病急、發熱輕、惡寒重、頭痛、周身痠痛、無汗、流清涕、咳嗽吐清痰等。風熱感冒主要症狀為發熱重、惡寒輕、流黃涕、咳吐黃痰、口渴、咽痛、大便乾、小便黃、扁桃體腫大等。

特效穴位 　1. 大椎　2. 肺俞　3. 委中
另外加上拔罐曲池（見 025 頁）、外關（見 037 頁）、合谷（見 023 頁）效果更佳。

大椎　祛風散寒、清熱解表

定位▶ 位於後正中線上，第七頸椎棘突下凹陷中。

拔罐▶ 用止血鉗夾住蘸有酒精的棉球，點燃棉球後伸入罐內旋轉一圈馬上抽出，再迅速將火罐扣在大椎穴上。

留罐
15 分鐘

肺俞 解表宣肺、清熱理氣

定位▶ 位於背部，當第三胸椎棘突下，旁開 1.5 寸。

拔罐▶ 用止血鉗夾住蘸有酒精的棉球，點燃棉球後伸入罐內旋轉一圈馬上抽出，再迅速將火罐扣在肺俞穴上。

留罐
10 分鐘

委中 清熱涼血、洩熱清暑

定位▶ 位於膕橫紋中點，當股二頭肌腱與半腱肌肌腱的中間。

拔罐▶ 用止血鉗夾住蘸有酒精的棉球，點燃棉球後伸入罐內旋轉一圈馬上抽出，再迅速將火罐扣在委中穴上。

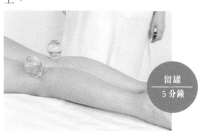

留罐
5 分鐘

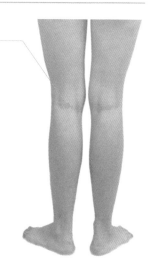

咳嗽

咳嗽是呼吸系統疾病的主要症狀之一，中醫認為咳嗽是外感六淫影響於肺所致的有聲有痰之症。咳嗽的原因有上呼吸道感染、支氣管炎、肺炎、喉炎等。咳嗽時可能有以下表現：痰多色稀白或痰色黃稠、量少，喉間有痰聲、似水笛哮鳴聲音，易咳出，喉癢欲咳等。在治療的同時，通過刺激穴位也可以緩解或治療咳嗽。

特效穴位　1. 肺俞　2. 尺澤　3. 合谷
另外再加上拔罐身柱（見 029 頁）效果更佳。

肺俞　調補肺氣、祛風止痛

定位▶ 位於背部，第三胸椎棘突下，旁開 1.5 寸。

拔罐▶ 用止血鉗夾住蘸有酒精的棉球，點燃棉球後伸入罐內旋轉一圈馬上抽出，再迅速將火罐扣在肺俞穴上。

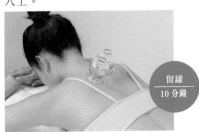

留罐
10分鐘

尺澤 清肺熱、平咳喘

定位▸ 位於肘橫紋中，肱二頭肌橈側凹陷處。

拔罐▸ 選擇大小適中的氣罐，用拔罐器將氣罐吸拔在尺澤穴上。對側以同樣的手法操作。

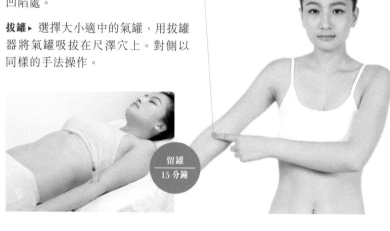

留罐
15分鐘

合谷 鎮靜止痛、清熱解毒

定位▸ 位於手背，第一、二掌骨間，當第二掌骨橈側的中點處。

拔罐▸ 選擇大小適中的氣罐，用拔罐器將氣罐吸拔在合谷穴上。對側以同樣的手法操作。

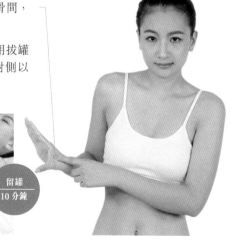

留罐
10分鐘

發熱

發熱是指體溫高出正常標準。中醫認為，發熱分外感發熱和內傷發熱。外感發熱見於感冒、傷寒、瘟疫等。內傷發熱有陰虛發熱、陽虛發熱、血虛發熱、氣虛發熱等。西醫認為常見的發熱激活物有來自體外的外致熱原，如細菌、病毒、真菌、瘧原蟲等，因此感冒、炎症、癌症等均可引起發熱。

特效穴位
1. 大椎　2. 太陽　3. 曲池
另外再加上拔罐合谷（見 023 頁）效果更佳。

大椎　祛風散寒、清熱解表

定位▶ 位於後正中線上，第七頸椎棘突下凹陷中。

拔罐▶ 用止血鉗夾住蘸有酒精的棉球，點燃棉球後伸入罐內旋轉一圈馬上抽出，再迅速將火罐扣在大椎穴上。

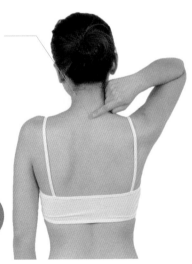

留罐
15 分鐘

太陽 清肝明目、通絡止痛

定位▸ 位於顳部，當眉梢與目外眥之間，向後約一橫指的凹陷處。

拔罐▸ 選擇大小適中的氣罐，用拔罐器將氣罐吸拔在太陽穴上。對側以同樣的手法操作。

留罐
10分鐘

曲池 清熱和營、降逆活絡

定位▸ 位於肘橫紋外側端，屈肘，當尺澤與肱骨外上髁連線中點。

拔罐▸ 選擇大小適中的氣罐，用拔罐器將氣罐吸拔在曲池穴上。對側以同樣的手法操作。

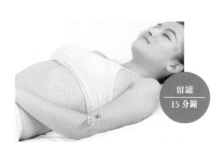

留罐
15分鐘

支氣管炎

支氣管炎是指氣管、支氣管黏膜及其周圍組織的慢性非特異性炎症，臨床上以長期咳嗽、咳痰、喘息以及反覆呼吸道感染為特徵。部份患者起病之前先有急性上呼吸道感染，如急性咽喉炎、感冒等，當合併呼吸道感染時，細支氣管黏膜充血水腫，痰液阻塞及支氣管管腔狹窄，可產生氣喘（喘息）的症狀。

特效穴位　1.肺俞　2.膈俞　3.尺澤
另外再加上拔罐大椎（見024頁）、曲池（見025頁）效果更佳。

肺俞　調補肺氣、祛風止痛

定位▶ 位於背部，當第三胸椎棘突下，旁開 1.5 寸。

拔罐▶ 用止血鉗夾住蘸有酒精的棉球，點燃棉球後伸入罐內旋轉一圈馬上抽出，再迅速將火罐扣在肺俞穴上。

留罐
15分鐘

膈俞　活血化瘀、寬胸利膈

定位▶ 位於背部，當第七胸椎棘突下，旁開 1.5 寸。

拔罐▶ 用止血鉗夾住蘸有酒精的棉球，點燃棉球後伸入罐內旋轉一圈馬上抽出，再迅速將火罐扣在膈俞穴上。

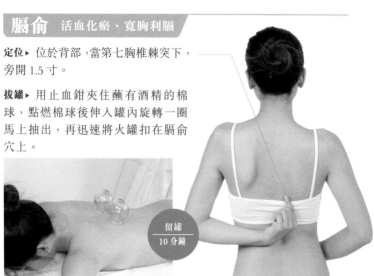

留罐
10 分鐘

尺澤　清肺熱、平咳喘

定位▶ 位於肘橫紋中，肱二頭肌橈側凹陷處。

拔罐▶ 選擇大小適中的氣罐，用拔罐器將氣罐吸拔在尺澤穴上。對側以同樣的手法操作。

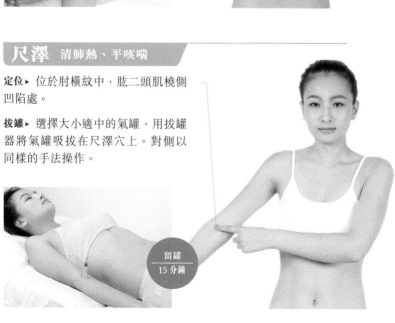

留罐
15 分鐘

肺炎

　　肺炎是指終末氣道、肺泡和肺間質等組織病變所發生的炎症。主要臨床表現為寒戰、高熱、咳嗽、咳痰，深呼吸和咳嗽時可能有痰，部份患者可伴胸痛或呼吸困難，病情嚴重者可併發肺水腫、敗血症、感染性休克、支氣管擴張等病症。本病起病急，自然病程是 7 ～ 10 日。

特效穴位
1. 大椎　2. 身柱　3. 膈俞

另外再加上拔罐曲池（見 025 頁）、肺俞（見 026 頁）效果更佳。

大椎　祛風散寒、清熱解表

定位▶ 位於後正中線上，第七頸椎棘突下凹陷中。

拔罐▶ 用止血鉗夾住蘸有酒精的棉球，點燃棉球後伸入罐內旋轉一圈馬上抽出，再迅速將火罐扣在大椎穴上。

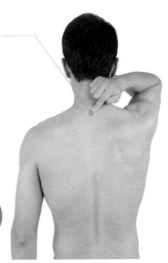

留罐
10 分鐘

身柱　清肺散熱、寧神鎮咳

定位▸ 位於背部，當後正中線上，第三胸椎棘突下凹陷中。

拔罐▸ 選擇大小適中的氣罐，用拔罐器將氣罐吸拔在身柱穴上，吸附力宜稍大，以免氣罐中途脫落。

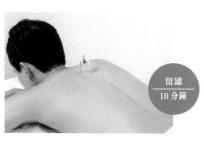

留罐
10分鐘

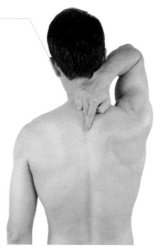

膈俞　活血化瘀、寬胸利膈

定位▸ 位於背部，當第七胸椎棘突下，旁開 1.5 寸。

拔罐▸ 用止血鉗夾住蘸有酒精的棉球，點燃棉球後伸入罐內旋轉一圈馬上抽出，再迅速將火罐扣在膈俞穴上。

留罐
10分鐘

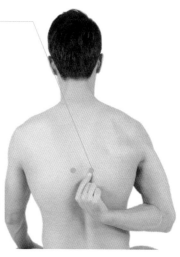

哮喘

哮喘常有呼吸困難、喘息、氣促、咳嗽、胸悶等表現，多在夜間和（或）凌晨發生。這些症狀經常在患者接觸煙霧、香水、油漆、灰塵、寵物毛髮、花粉等刺激性氣體或變應原之後發作，夜間和清晨症狀也容易發生或加劇，由接觸刺激物或呼吸道感染所誘發。

特效穴位 1.肺俞 2.膏肓 3.足三里
另外再加上拔罐尺澤（見027頁）、身柱（見029頁）效果更佳。

肺俞 　調補肺氣、祛風止痛

定位▶ 位於背部，當第三胸椎棘突下，旁開1.5寸。

拔罐▶ 用止血鉗夾住蘸有酒精的棉球，點燃棉球後伸入罐內旋轉一圈馬上抽出，再迅速將火罐扣在肺俞穴上。

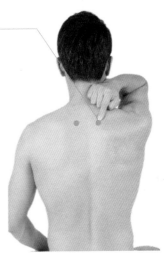

留罐
10分鐘

膏肓 補虛益損、調理肺氣

定位▶ 位於背部，當第四胸椎棘突下，旁開 3 寸。

拔罐▶ 用止血鉗夾住蘸有酒精的棉球，點燃棉球後伸入罐內旋轉一圈馬上抽出，再迅速將火罐扣在膏肓穴上。

留罐
15 分鐘

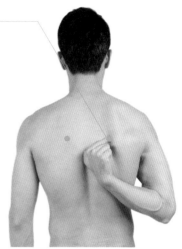

足三里 扶正培元、通經活絡

定位▶ 位於小腿前外側，當犢鼻下 3 寸，距脛骨前緣一橫指（中指）。

拔罐▶ 選擇大小適中的氣罐，用拔罐器將氣罐吸拔在足三里穴上。對側以同樣的手法操作。

留罐
10 分鐘

胸悶

胸悶，可輕可重，是一種自覺胸部悶脹及呼吸不暢的主觀感覺。輕者可能是神經官能性的，即心臟、肺的功能失調引起的，經西醫診斷無明顯的器質性病變。嚴重者為心肺二臟的疾患引起，可由冠狀動脈粥樣硬化性心臟病（冠心病）、心肌供血不足或慢性支氣管炎（慢支炎）、肺氣腫、肺源性心臟病（肺心病）等導致，經西醫診斷有明顯的器質性病變。

特效穴位 1. 中府　2. 膻中　3. 內關
另外加上拔罐期門（見 089 頁）、天宗（見 137 頁）效果更佳。

中府　清宣上焦、疏調肺氣

定位▶ 位於胸前壁的外上方，雲門下1寸，平第一肋間隙，距前正中線6寸。

拔罐▶ 選擇大小適中的氣罐，用拔罐器將氣罐吸拔在中府穴上。對側以同樣的手法操作。

留罐
15分鐘

膻中　活血通絡、清肺寬胸

定位▶ 位於胸部,當前正中線上,平第四肋間,兩乳頭連線的中點。

拔罐▶ 選擇大小適中的氣罐,用拔罐器將氣罐吸拔在膻中穴上,注意吸附力不宜過大,以免產生壓迫感。

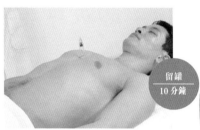

留罐
10 分鐘

內關　寧心安神、理氣止痛

定位▶ 位於前臂掌側,當曲澤與大陵的連線上,腕橫紋上 2 寸,掌長肌腱與橈側腕屈肌腱之間。

拔罐▶ 選擇大小適中的氣罐,用拔罐器將氣罐吸拔在內關穴上。對側以同樣的手法操作。

留罐
15 分鐘

空調病

空調病又稱「空調綜合徵」，指長時間在空調環境下工作或學習的人，因空氣不流通、環境不佳，出現鼻塞、頭昏、打噴嚏、乏力、記憶力減退、注意力不集中、四肢肌肉關節痠痛、頭痛、腰痛等症狀，嚴重者甚至會口眼歪斜。老人、兒童的身體抵抗力低下，空調冷氣最容易攻破他們的呼吸道防線。

特效穴位 1. 大椎 2. 肩井 3. 肩髃

大椎 祛風散寒、清熱解表

定位▸ 位於後正中線上，第七頸椎棘突下凹陷中。

拔罐▸ 用止血鉗夾住蘸有酒精的棉球，點燃棉球後伸入罐內旋轉一圈馬上抽出，再迅速將火罐扣在大椎穴上。

留罐
10分鐘

肩井　祛風清熱、通經活絡

定位▸ 位於肩上，前直乳中，當大椎與肩峰端連線的中點上。

拔罐▸ 選擇大小適中的氣罐，用拔罐器將氣罐吸拔在肩井穴上。對側以同樣的手法操作。

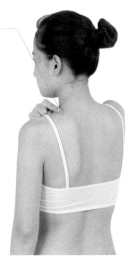

留罐
15分鐘

肩髎　祛濕通絡

定位▸ 位於肩部，肩髃後方，當臂外展時，於肩峰後下方呈現凹陷處。

拔罐▸ 選擇大小適中的氣罐，用拔罐器將氣罐吸拔在肩髎穴上。對側以同樣的手法操作。

留罐
10分鐘

心腦血管疾病

頭痛

頭痛是臨床常見的病症。痛感有輕有重，疼痛時間有長有短，形式也多種多樣。常見的症狀有脹痛、悶痛、撕裂樣痛、針刺樣痛，部份伴有血管搏動感及頭部緊箍感，還可能伴有發熱、噁心、嘔吐、頭暈、食慾缺乏、肢體困重等症狀。頭痛的致病原因繁多，如神經問題、顱內病變、腦血管疾病、五官疾病等均可導致頭痛。

特效穴位　　1. 大椎　　2. 太陽　　3. 外關
另外再加上拔罐太衝（見 127 頁）效果更佳。

大椎　解表通陽、補虛寧神

定位▶ 位於後正中線上，第七頸椎棘突下凹陷中。

拔罐▶ 用止血鉗夾住蘸有酒精的棉球，點燃棉球後伸入罐內旋轉一圈馬上抽出，再迅速將火罐扣在大椎穴上。

> 留罐
> 15 分鐘

太陽　清肝明目、通絡止痛

定位▸ 位於顳部，當眉梢與目外眥之間，向後約一橫指的凹陷處。

拔罐▸ 選擇大小適中的氣罐，用拔罐器將氣罐吸拔在太陽穴上。對側以同樣的手法操作。

留罐
10 分鐘

外關　疏表解熱、通經活絡

定位▸ 位於前臂背側，腕背橫紋上 2 寸，尺骨與橈骨之間。

拔罐▸ 選擇大小適中的氣罐，用拔罐器將氣罐吸拔在外關穴上。對側以同樣的手法操作。

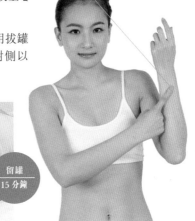

留罐
15 分鐘

冠心病

冠心病又稱冠狀動脈粥樣硬化性心臟病，是由冠狀動脈發生粥樣硬化，導致心肌缺血的疾病，是中老年人心血管疾病中最常見的一種。在臨床上冠心病主要特徵為心絞痛、心律不齊、心肌梗死及心力衰竭等，主要症狀有胸骨後疼痛，呈壓榨樣、燒灼樣疼痛。中醫認為本病的發生主要是因「氣滯血瘀」所致，與心、肝、脾、腎諸臟功能失調有關。

特效穴位 1. 厥陰俞　2. 心俞　3. 膻中
另外再加上拔罐膈俞（見027頁）、巨闕（見075頁）效果更佳。

厥陰俞 寬胸理氣、活血止痛

定位▶ 位於背部，當第四胸椎棘突下，旁開1.5寸。

拔罐▶ 用止血鉗夾住蘸有酒精的棉球，點燃棉球後伸入罐內旋轉一圈馬上抽出，再迅速將火罐扣在厥陰俞穴上。

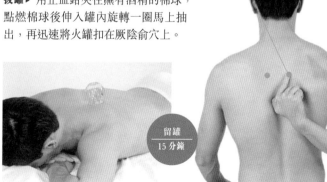

留罐
15分鐘

心俞　寬胸理氣、通絡安神

定位▶ 位於背部，當第五胸椎棘突下，旁開 1.5 寸。

拔罐▶ 用止血鉗夾住蘸有酒精的棉球，點燃棉球後伸入罐內旋轉一圈馬上抽出，再迅速將火罐扣在心俞穴上。

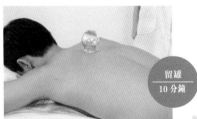

留罐
10 分鐘

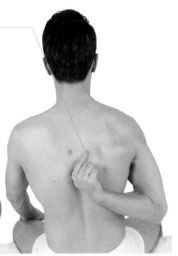

膻中　活血通絡、清肺寬胸

定位▶ 位於胸部，當前正中線上，平第四肋間，兩乳頭連線的中點。

拔罐▶ 選擇大小適中的氣罐，用拔罐器將氣罐吸拔在膻中穴上，注意吸附力不宜過大，以免產生壓迫感。

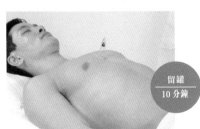

留罐
10 分鐘

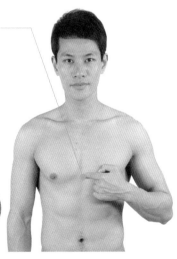

高血壓

　　高血壓病是以動脈血壓升高為主要臨床表現的慢性全身性血管性疾病，血壓高於 140/90 毫米汞柱（18.66/12 千帕）即可診斷為高血壓。本病早期無明顯症狀，部份患者會出現頭暈、頭痛、心悸、失眠、耳鳴、乏力、顏面潮紅或肢體麻木等不適表現。中醫認為本病可能因精神過度緊張，飲酒過度，嗜食肥甘厚味等所致。

特效穴位　1. 肺俞　2. 脾俞　3. 豐隆
另外再加上拔罐心俞（見 039 頁）效果更佳。

肺俞　調肺和營、補勞清熱

定位▶ 位於背部，當第三胸椎棘突下，旁開 1.5 寸。

拔罐▶ 用止血鉗夾住蘸有酒精的棉球，點燃棉球後伸入罐內旋轉一圈馬上抽出，再迅速將火罐扣在肺俞穴上。

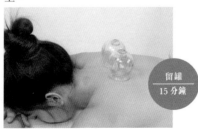

留罐
15 分鐘

脾俞　健脾和胃、利濕升清

定位▸ 位於背部,當第十一胸椎棘突下,旁開 1.5 寸。

拔罐▸ 用止血鉗夾住蘸有酒精的棉球,點燃棉球後伸入罐內旋轉一圈馬上抽出,再迅速將火罐扣在脾俞穴上。

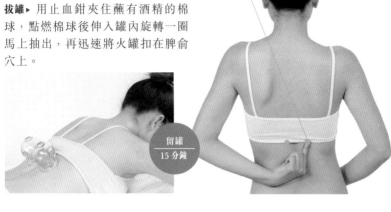

留罐
15 分鐘

豐隆　健脾化痰、和胃降逆

定位▸ 位於小腿前外側,當外踝尖上 8 寸,條口穴外,距脛骨前緣二橫指(中指)。

拔罐▸ 選擇大小適中的氣罐,用拔罐器將氣罐吸拔在豐隆穴上。對側以同樣的手法操作。

留罐
10 分鐘

低血壓

低血壓指血壓降低引起的一系列症狀，病情輕微者可有頭暈、頭痛、食慾不振、疲勞、臉色蒼白等表現，嚴重者會出現直立性眩暈、四肢冰涼、心律失常等症狀，但也有部份人群無明顯症狀。這些症狀主要因血壓下降，血液循環緩慢，影響組織細胞氧氣和營養的供應引起的。西醫診斷低血壓的標準為血壓值低於 90/60 毫米汞柱（12/8 千帕）。

特效穴位　1. 膻中　2. 足三里　3. 湧泉
另外再加上拔罐三陰交（見 051 頁）腎俞（見 061 頁）、脾俞（見 061 頁）效果更佳。

膻中　活血通絡、清肺寬胸

定位▶ 位於胸部，前正中線上，平第四肋間，兩乳頭連線的中點。

拔罐▶ 選擇大小適中的氣罐，用拔罐器將氣罐吸拔在膻中穴上，注意吸附力不宜過大，以免出現胸悶感。

留罐
10 分鐘

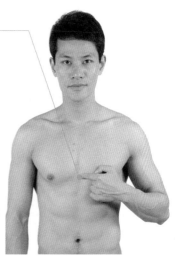

足三里 扶正培元、通經活絡

定位▶ 位於小腿前外側,當犢鼻下 3 寸,距脛骨前緣一橫指(中指)。

拔罐▶ 選擇大小適中的氣罐,用拔罐器將氣罐吸拔在足三里穴上。對側以同樣的手法操作。

留罐
10分鐘

湧泉 洩熱寧神、蘇厥開竅

定位▶ 位於足底前部凹陷處,足底二、三趾趾縫紋頭端與足跟連線的前 1/3 與後 2/3 交點上。

拔罐▶ 選擇大小適中的氣罐,用拔罐器將氣罐吸拔在湧泉穴上。對側以同樣的手法操作。

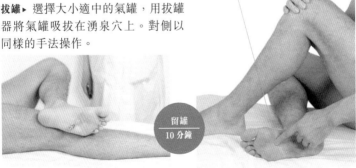

留罐
10分鐘

偏頭痛

偏頭痛是臨床最常見的原發性頭痛類型，是一種常見的慢性神經血管性疾患，臨床以發作性中重度搏動樣頭痛為主要表現。頭痛多為偏側，可伴有噁心、嘔吐等症狀，多起病於兒童和青春期，中青年期達發病高峰，常有遺傳背景。另外一些環境和精神因素如緊張、過勞、情緒激動、睡眠過度等均可導致偏頭痛。

特效穴位　1. 心俞　2. 肝俞　3. 太陽
另外再加上拔罐腎俞（見 061 頁）效果更佳。

心俞　寬胸理氣、通絡安神

定位▸ 位於背部，當第五胸椎棘突下，旁開 1.5 寸。

拔罐▸ 用止血鉗夾住蘸有酒精的棉球，點燃棉球後伸入罐內旋轉一圈馬上抽出，再迅速將火罐扣在心俞穴上。

留罐
15 分鐘

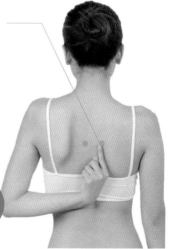

肝俞　疏肝利膽、降火止痙

定位▶ 位於背部，當第九胸椎棘突下，旁開 1.5 寸。

拔罐▶ 用止血鉗夾住蘸有酒精的棉球，點燃棉球後伸入罐內旋轉一圈馬上抽出，再迅速將火罐扣在肝俞穴上。

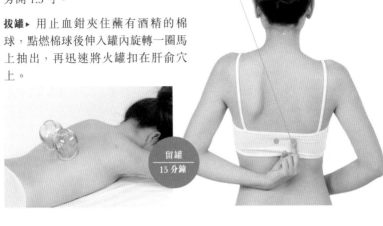

留罐
15分鐘

太陽　清肝明目、通絡止痛

定位▶ 位於顳部，當眉梢與目外眥之間，向後約一橫指的凹陷處。

拔罐▶ 選擇大小適中的氣罐，用拔罐器將氣罐吸拔在太陽穴上。對側以同樣的手法操作。

留罐
10分鐘

心律失常

心律失常在中醫裏屬於「心悸」的範疇。心律失常發生時，患者自覺心跳快而強，並伴有胸痛、胸悶、喘息、頭暈和失眠等症狀。引起心律失常的生理性因素有運動、情緒激動、吸煙、飲酒、冷熱刺激等，去除誘因後可自行緩解；病理性因素如冠狀動脈粥樣硬化性心臟病、高血壓、高血脂、心肌炎等均可引起心律失常，因此要積極治療原發病。

特效穴位　1.內關　2.心俞　3.氣海
另外再加上拔罐脾俞（見 061 頁）效果更佳。

內關　寧心安神、理氣止痛

定位▶ 位於腕橫紋上 2 寸，掌長肌腱與橈側腕屈肌腱之間。

拔罐▶ 選擇大小適中的氣罐，用拔罐器將氣罐吸拔在內關穴上。對側以同樣的手法操作。

留罐
15分鐘

心俞　寬胸理氣、通絡安神

定位▶ 位於背部，當第五胸椎棘突下，旁開 1.5 寸。

拔罐▶ 用止血鉗夾住蘸有酒精的棉球，點燃棉球後伸入罐內旋轉一圈馬上抽出，再迅速將火罐扣在心俞穴上。

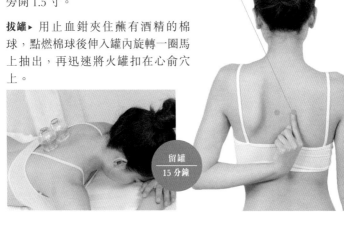

留罐
15 分鐘

氣海　益氣助陽、補氣理氣

定位▶ 位於下腹部，前正中線上，當臍中下 1.5 寸。

拔罐▶ 選擇大小適中的氣罐，用拔罐器將氣罐吸拔在氣海穴上，注意吸附力不宜過大，以免產生疼痛感。

留罐
10 分鐘

腦卒中

腦卒中，中醫稱為中風，是以突然口眼歪斜，言語含糊不利，肢體出現運動障礙，半身不遂，甚至不省人事為特徵的腦血液循環障礙性疾病。本病具有高發病率、高死亡率、高致殘率等特點，若有口歪，肢體麻木的表現，應高度重視，這些症狀是中風的先兆。臨床實踐證明：中醫經絡穴位療法對中風初期患者有很好的療效，可有效改善口眼歪斜、偏癱等症狀。

特效穴位
1. 大椎 2. 曲池 3. 豐隆
另外再加上拔罐委中（見021頁）、內關（見033頁）、三陰交（見051頁）效果更佳。

大椎 解表通陽、補虛寧神

定位▶ 位於後正中線上，第七頸椎棘突下凹陷中。

拔罐▶ 用止血鉗夾住蘸有酒精的棉球，點燃棉球後伸入罐內旋轉一圈馬上抽出，再迅速將火罐扣在大椎穴上。

> 留罐
> 15分鐘

曲池 　清熱和營、降逆活絡

定位▶ 位於肘橫紋外側端，屈肘，尺澤與肱骨外上髁連線中點。

拔罐▶ 選擇大小適中的氣罐，用拔罐器將氣罐吸拔在曲池穴上。對側以同樣的手法操作。

留罐
10分鐘

豐隆 　健脾化痰、和胃降逆

定位▶ 位於小腿前外側，當外踝尖上8寸，條口外，距脛骨前緣二橫指（中指）。

拔罐▶ 選擇大小適中的氣罐，用拔罐器將氣罐吸拔在豐隆穴上。對側以同樣的手法操作。

留罐
15分鐘

眩暈

眩暈與頭暈有所相似，但本質不同。眩暈分為周圍性眩暈和中樞性眩暈。中樞性眩暈是由腦組織、腦神經疾病引起，如高血壓、動脈硬化等腦血管疾病。周圍性眩暈發作時多伴有耳聾、耳鳴、噁心、嘔吐、出冷汗等自主神經系統症狀。如不及時治療容易引起癡呆、腦血栓、腦出血、中風偏癱，甚至猝死等。

特效穴位
1. 膈俞　2. 氣海　3. 三陰交
另外再加上拔罐太陽（見 025 頁）效果更佳。

膈俞　理氣寬胸、活血通脈

定位▶ 位於背部，當第七胸椎棘突下，旁開 1.5 寸。

拔罐▶ 用止血鉗夾住蘸有酒精的棉球，點燃棉球後伸入罐內旋轉一圈馬上抽出，再迅速將火罐扣在膈俞穴上。

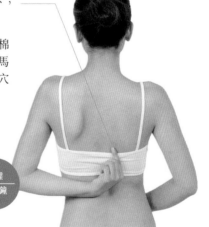

留罐
15 分鐘

氣海 益氣助陽、調經固經

定位▸ 位於下腹部，前正中線上，當臍中下 1.5 寸。

拔罐▸ 用止血鉗夾住蘸有酒精的棉球，點燃棉球後伸入罐內旋轉一圈馬上抽出，再迅速將火罐扣在氣海穴上。

留罐
10 分鐘

三陰交 健脾利濕、補益肝腎

定位▸ 位於小腿內側，足內踝尖上 3 寸，脛骨內側緣後方。

拔罐▸ 選擇大小適中的氣罐，用拔罐器將氣罐吸拔在三陰交穴上。對側以同樣的手法操作。

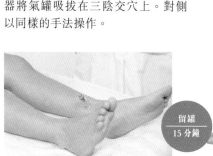

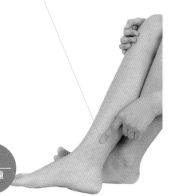

留罐
15 分鐘

失眠

　　失眠是指無法入睡或無法保持睡眠狀態，即睡眠失常。失眠雖不屬於危重疾病，但影響人們的日常生活。睡眠不足會導致身體狀況不佳，生理節奏被打亂，繼之引起人的疲勞感、全身不適、無精打采、反應遲緩、頭痛、記憶力減退、注意力不集中等症狀。患有失眠最直接影響的是精神方面，嚴重者會導致精神疾病。

特效穴位　1. 太陽　2. 三陰交　3. 足三里
另外再加上拔罐內關（見 033 頁）效果更佳。

太陽　清肝明目、通絡止痛

定位▸ 位於顳部，當眉梢與目外眥之間，向後約一橫指的凹陷處。

拔罐▸ 選擇大小適中的氣罐，用拔罐器將氣罐吸拔在太陽穴上。對側以同樣的手法操作。

留罐
10 分鐘

三陰交 健脾利濕、補益肝腎

定位▸ 位於小腿內側，足內踝尖上 3 寸，脛骨內側緣後方。

拔罐▸ 選擇大小適中的氣罐，用拔罐器將氣罐吸拔在三陰交穴上。對側以同樣的手法操作。

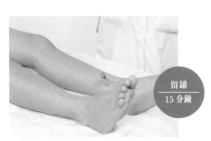

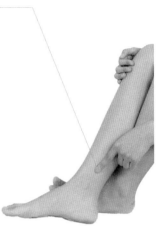

留罐
15 分鐘

足三里 扶正培元、通經活絡

定位▸ 位於小腿前外側，當犢鼻下 3 寸，距脛骨前緣一橫指（中指）。

拔罐▸ 選擇大小適中的氣罐，用拔罐器將氣罐吸拔在足三里穴上。對側以同樣的手法操作。

留罐
15 分鐘

三叉神經痛

三叉神經痛是最常見的腦神經疾病，多發生於中老年人，右側頭面部多於左側。主要特點是：驟發驟停，呈刀割樣、燒灼樣、頑固性、難以忍受的劇烈性疼痛，說話、洗臉、刷牙、微風拂面，甚至走路時都會有陣發性劇烈疼痛。疼痛歷時數秒或數分鐘，呈週期性發作，發作間歇期同常人一樣。

特效穴位 1. 大椎　2. 膈俞　3. 膽俞
另外再加上拔罐內關（見 033 頁）效果更佳。

大椎 解表通陽、補虛寧神

定位▶ 位於後正中線上，第七頸椎棘突下凹陷中。

拔罐▶ 用止血鉗夾住蘸有酒精的棉球，點燃棉球後伸入罐內旋轉一圈馬上抽出，再迅速將火罐扣在大椎穴上。

留罐
15 分鐘

膈俞 養血和營、活血通脈

定位▸ 位於背部，當第七胸椎棘突下，旁開 1.5 寸。

拔罐▸ 用止血鉗夾住蘸有酒精的棉球，點燃棉球後伸入罐內旋轉一圈馬上抽出，再迅速將火罐扣在膈俞穴上。

留罐
15 分鐘

膽俞 疏肝利膽、清熱化濕

定位▸ 位於背部，當第十胸椎棘突下，旁開 1.5 寸。

拔罐▸ 用止血鉗夾住蘸有酒精的棉球，點燃棉球後伸入罐內旋轉一圈馬上抽出，再迅速將火罐扣在膽俞穴上。

留罐
15 分鐘

癲癇

癲癇俗稱「羊癲風」，是大腦神經元突發性異常放電導致出現短暫的大腦功能障礙的一種慢性疾病，以突然昏仆、口吐涎沫、兩眼上視、四肢抽搐，或口中如有豬羊叫聲等為臨床特徵，可表現為自主神經、意識及精神障礙。中醫認為本病多由大驚、大恐造成氣機逆亂，或由勞累過度造成臟腑失調，氣機不暢所致。

特效穴位　1. 大椎　2. 大杼　3. 至陽
另外再加上拔罐太衝（見 127 頁）效果更佳。

大椎　補虛寧神、截瘧止癇

定位▶ 位於後正中線上，第七頸椎棘突下凹陷中。

拔罐▶ 用止血鉗夾住蘸有酒精的棉球，點燃棉球後伸入罐內旋轉一圈馬上抽出，再迅速將火罐扣在大椎穴上。

留罐
15 分鐘

大杼 強筋骨、清邪熱

定位▶ 位於背部,當第一胸椎棘突下,旁開 1.5 寸。

拔罐▶ 用止血鉗夾住蘸有酒精的棉球,點燃棉球後伸入罐內旋轉一圈馬上抽出,再迅速將火罐扣在大杼穴上。

留罐
15 分鐘

至陽 壯陽益氣、安和五臟

定位▶ 位於背部,當後正中線上,第七胸椎棘突下凹陷中。

拔罐▶ 用止血鉗夾住蘸有酒精的棉球,點燃棉球後伸入罐內旋轉一圈馬上抽出,再迅速將火罐扣在至陽穴上。

留罐
15 分鐘

疲勞綜合徵

　　疲勞綜合徵即慢性疲勞綜合徵，通常患者心理方面的異常表現要比身體方面的症狀出現得早，自覺較為突出。實際上疲勞感多源於體內的各種功能失調，典型表現為：短期記憶力減退或注意力不集中、肌肉痠痛、無紅腫的關節疼痛、頭痛、睡眠後精力不能恢復、體力或腦力勞動後身體感覺不適。符合其中四項，即可診斷為疲勞綜合徵。

特效穴位　1. 心俞　2. 足三里　3. 三陰交
另外再加上拔罐氣海（見 047 頁）效果更佳。

心俞　寬胸理氣、通絡安神

定位▶ 位於背部，當第五胸椎棘突下，旁開 1.5 寸。

拔罐▶ 用止血鉗夾住蘸有酒精的棉球，點燃棉球後伸入罐內旋轉一圈馬上抽出，再迅速將火罐扣在心俞穴上。

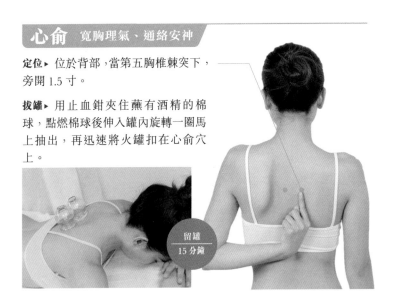

留罐
15 分鐘

足三里 扶正培元、通經活絡

定位▶ 位於小腿前外側，當犢鼻下 3 寸，距脛骨前緣一橫指（中指）。

拔罐▶ 選擇大小適中的氣罐，用拔罐器將氣罐吸拔在足三里穴上。對側以同樣的手法操作。

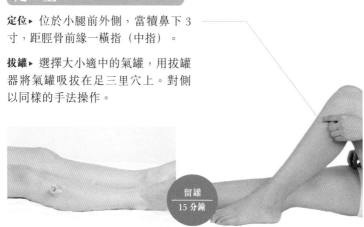

留罐
15 分鐘

三陰交 健脾利濕、補益肝腎

定位▶ 位於小腿內側，足內踝尖上 3 寸，脛骨內側緣後方。

拔罐▶ 選擇大小適中的氣罐，用拔罐器將氣罐吸拔在三陰交穴上。對側以同樣的手法操作。

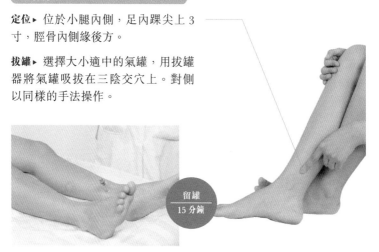

留罐
15 分鐘

神經衰弱

神經衰弱是指大腦由於長期情緒緊張及精神壓力，從而使精神活動能力減弱的功能障礙性病症，其主要特徵是易興奮，易疲勞，記憶力減退等，伴有各種軀體不適症狀。本病如處理不當可遷延達數年，但經精神科或心理科醫生積極、及時治療，指導病人正確對待疾病，本病可緩解或治癒，預後一般良好。

特效穴位 1. 心俞　2. 脾俞　3. 腎俞

另外再加上拔罐足三里（見 031 頁）、三陰交（見 051 頁）效果更佳。

心俞 寬胸理氣、通絡安神

定位▶ 位於背部，當第五胸椎棘突下，旁開 1.5 寸。

拔罐▶ 用止血鉗夾住蘸有酒精的棉球，點燃棉球後伸入罐內旋轉一圈馬上抽出，再迅速將火罐扣在心俞穴上。

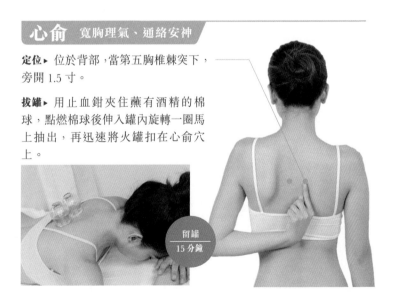

留罐
15 分鐘

脾俞　健脾和胃、利濕升清

定位▸ 位於背部，當第十一胸椎棘突下，旁開 1.5 寸。

拔罐▸ 用止血鉗夾住蘸有酒精的棉球，點燃棉球後伸入罐內旋轉一圈馬上抽出，再迅速將火罐扣在脾俞穴上。

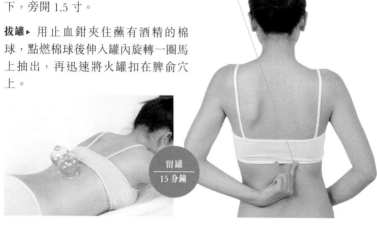

留罐
15 分鐘

腎俞　益腎助陽調腎氣

定位▸ 位於腰部，當第二腰椎棘突下，旁開 1.5 寸。

拔罐▸ 用止血鉗夾住蘸有酒精的棉球，點燃棉球後伸入罐內旋轉一圈馬上抽出，再迅速將火罐扣在腎俞穴上。

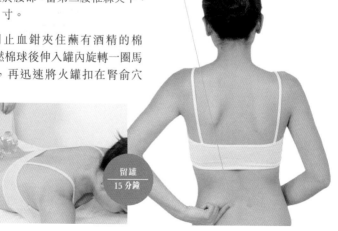

留罐
15 分鐘

消化系統疾病

嘔吐

嘔吐是臨床常見病症，既可單獨為患，亦可見於多種疾病，是機體的一種防禦反射動作。嘔吐可以分為三個階段，即噁心、乾嘔和嘔吐，噁心常為嘔吐的前驅症狀，表現為上腹部的特殊不適感，常伴有頭暈、流涎。飲食不節、情志不遂、寒暖失宜，以及聞及不良氣味等因素，皆可誘發嘔吐，或使嘔吐加重。

特效穴位 1. 大椎　2. 胃俞　3. 中脘
另外再加上拔罐足三里（見 031 頁）效果更佳。

大椎　解表通陽、補虛寧神

定位▸ 位於後正中線上，第七頸椎棘突下凹陷中。

拔罐▸ 用止血鉗夾住蘸有酒精的棉球，點燃棉球後伸入罐內旋轉一圈馬上抽出，再迅速將火罐扣在大椎穴上。

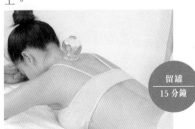

留罐
15 分鐘

胃俞 和胃降逆、健脾助運

定位▶ 位於背部，當第十二胸椎棘突下，旁開 1.5 寸。

拔罐▶ 用止血鉗夾住蘸有酒精的棉球，點燃棉球後伸入罐內旋轉一圈馬上抽出，再迅速將火罐扣在胃俞穴上。

留罐
20 分鐘

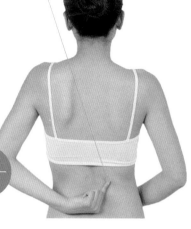

中脘 健脾化濕、理氣和胃

定位▶ 位於上腹部，前正中線上，當臍中上 4 寸。

拔罐▶ 用止血鉗夾住蘸有酒精的棉球，點燃棉球後伸入罐內旋轉一圈馬上抽出，再迅速將火罐扣在中脘穴上。

留罐
15 分鐘

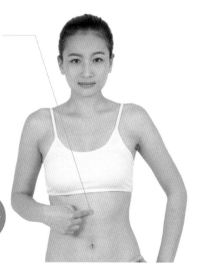

胃痛

胃痛是指上腹胃脘部近心窩處發生疼痛，是臨床上一種很常見的病症。胃部是人體內重要的消化器官之一。實際上引起胃痛的原因有很多，有一些還是非常嚴重的疾病。胃痛常見於急、慢性胃炎，胃、十二指腸潰瘍病，胃黏膜脱垂，胃下垂，胰腺炎，膽囊炎及膽石症等疾病。

特效穴位 1. 中脘　2. 足三里　3. 胃俞
另外再加上拔罐內關（見 033 頁）效果更佳。

中脘　健脾化濕、理氣和胃

定位▶ 位於上腹部，前正中線上，當臍中上 4 寸。

拔罐▶ 用止血鉗夾住蘸有酒精的棉球，點燃棉球後伸入罐內旋轉一圈馬上抽出，再迅速將火罐扣在中脘穴上。

留罐
10 分鐘

足三里 生發胃氣、燥化脾濕

定位▶ 位於小腿前外側，當犢鼻下 3 寸，距脛骨前緣一橫指（中指）。

拔罐▶ 選擇大小適中的氣罐，用拔罐器將氣罐吸拔在足三里穴上。對側以同樣的手法操作。

留罐
15 分鐘

胃俞 和胃降逆、健脾助運

定位▶ 位於背部，當第十二胸椎棘突下，旁開 1.5 寸。

拔罐▶ 用止血鉗夾住蘸有酒精的棉球，點燃棉球後伸入罐內旋轉一圈馬上抽出，再迅速將火罐扣在胃俞穴上。

留罐
20 分鐘

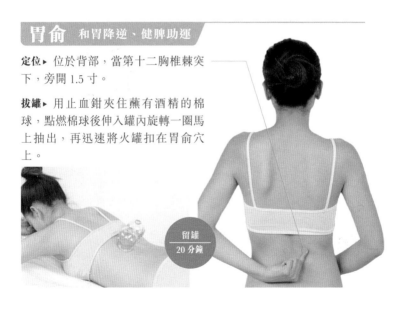

胃下垂

胃下垂是相對人體正常組織解剖位而言，具體指站立位時，胃位置下降，胃小彎最低點在髂嵴水平連線以下。本病多見於瘦長無力體形者、久病體弱者、經產婦、多次腹部手術有切口疝者及長期臥床少動者等。從中醫角度講，本病與宗氣不足有關。

特效穴位　1.大椎　2.膈俞　3.胃俞
另外再加上拔罐肝俞（見045頁）、脾俞（見061頁）效果更佳。

大椎　解表通陽、補虛寧神

定位▶ 位於後正中線上，第七頸椎棘突下凹陷中。

拔罐▶ 用止血鉗夾住蘸有酒精的棉球，點燃棉球後伸入罐內旋轉一圈馬上抽出，再迅速將火罐扣在大椎穴上。

留罐
10分鐘

膈俞　養血和營、活血通脈

定位▶ 位於背部,當第七胸椎棘突下,旁開 1.5 寸。

拔罐▶ 用止血鉗夾住蘸有酒精的棉球,點燃棉球後伸入罐內旋轉一圈馬上抽出,再迅速將火罐扣在膈俞穴上。

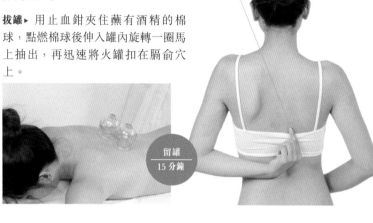

留罐
15 分鐘

胃俞　和胃降逆、健脾助運

定位▶ 位於背部,當第十二胸椎棘突下,旁開 1.5 寸。

拔罐▶ 用止血鉗夾住蘸有酒精的棉球,點燃棉球後伸入罐內旋轉一圈馬上抽出,再迅速將火罐扣在胃俞穴上。

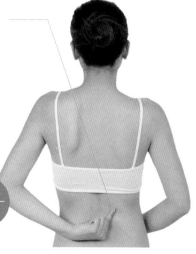

留罐
15 分鐘

慢性胃炎

　　慢性胃炎是指由不同病因引起的胃黏膜的慢性炎症或萎縮性病變，最終導致不可逆的固有胃腺體的萎縮，甚至消失。本病常見的症狀是上腹疼痛和飽脹感，常因食用冷食、硬食、辛辣或其他刺激性食物引起或使症狀加重。與胃潰瘍相比，慢性胃炎是空腹舒適，飯後不適。

特效穴位　1. 肝俞　2. 脾俞　3. 中脘
　　　　　　　另外再加上拔罐足三里（見 031 頁）、三陰交（見051 頁）、胃俞（見 063 頁）效果更佳。

肝俞　疏肝利膽、降火止痙

定位▶ 位於背部，當第九胸椎棘突下，旁開 1.5 寸。

拔罐▶ 用止血鉗夾住蘸有酒精的棉球，點燃棉球後伸入罐內旋轉一圈馬上抽出，再迅速將火罐扣在肝俞穴上。

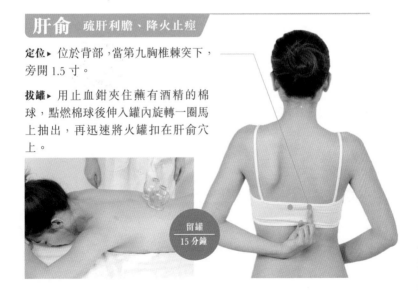

留罐
15 分鐘

脾俞　健脾和胃、利濕升清

定位▶ 位於背部，當第十一胸椎棘突下，旁開 1.5 寸。

拔罐▶ 用止血鉗夾住蘸有酒精的棉球，點燃棉球後伸入罐內旋轉一圈馬上抽出，再迅速將火罐扣在脾俞穴上。

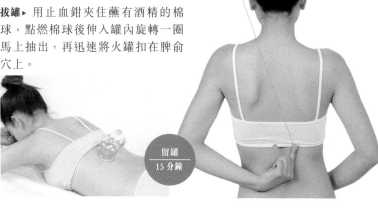

留罐
15 分鐘

中脘　健脾化濕、理氣和胃

定位▶ 位於上腹部，前正中線上，當臍中上 4 寸。

拔罐▶ 用止血鉗夾住蘸有酒精的棉球，點燃棉球後伸入罐內旋轉一圈馬上抽出，再迅速將火罐扣在中脘穴上。

留罐
10 ～ 15 分鐘

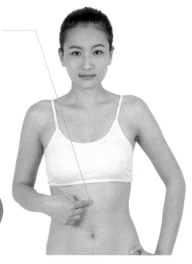

慢性膽囊炎

慢性膽囊炎是指膽囊慢性炎症性病變，大多數為慢性結石性膽囊炎。本病可由急性膽囊炎反覆發作遷延而來，也可慢性起病。本病臨床症狀常見為右上腹部或心窩部隱痛，飯後飽脹不適、噯氣，進食油膩食物後可有噁心、嘔吐等症狀。平常宜多食各種新鮮水果、蔬菜以及低脂肪、低膽固醇食品。

特效穴位 1. 肝俞　2. 中脘　3. 日月
另外再加上拔罐足三里（見031頁）、期門（見089頁）、陰陵泉（見109頁）效果更佳。

肝俞 疏肝利膽、降火止痙

定位▶ 位於背部，當第九胸椎棘突下，旁開1.5寸。

拔罐▶ 用止血鉗夾住蘸有酒精的棉球，點燃棉球後伸入罐內旋轉一圈馬上抽出，再迅速將火罐扣在肝俞穴上。

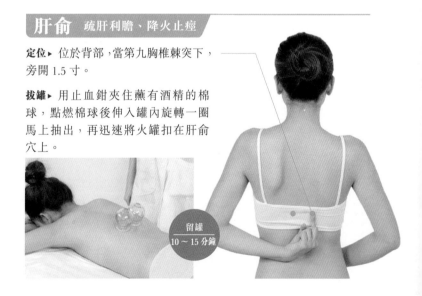

留罐
10～15分鐘

中脘 健脾利膽、理氣和胃

定位▶ 位於上腹部，前正中線上，當臍中上 4 寸。

拔罐▶ 選擇大小適中的氣罐，用拔罐器將氣罐吸拔在中脘穴上，注意吸附力不宜過大，以免產生疼痛感。

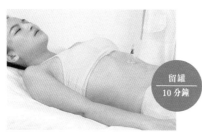

留罐
10 分鐘

日月 疏肝利膽、降逆和胃

定位▶ 位於上腹部，當乳頭直下，第七肋間隙，前正中線旁開 4 寸。

拔罐▶ 選擇大小適中的氣罐，用拔罐器將氣罐吸拔在日月穴上。對側以同樣的手法操作。

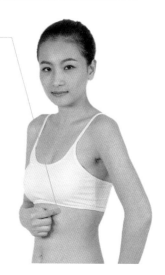

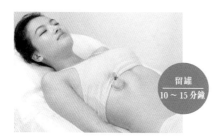

留罐
10～15 分鐘

消化性潰瘍

　　消化性潰瘍主要指發生在胃和十二指腸的慢性潰瘍，以週期性發作、具有節律性的上腹部疼痛為主要特徵。本病絕大多數（95% 以上）發病部位位於胃和十二指腸，故又稱胃十二指腸潰瘍。本病的總發病率佔人口的5% ～ 10%，十二指腸潰瘍較胃潰瘍多見，以青壯年多發，男多於女，兒童亦可發病。

特效穴位　1. 肝俞　2. 脾俞　3. 足三里
另外再加上拔罐胃俞（見 063 頁）效果更佳。

肝俞　疏肝利膽、降火止痙

定位▶ 位於背部，當第九胸椎棘突下，旁開 1.5 寸。

拔罐▶ 用止血鉗夾住蘸有酒精的棉球，點燃棉球後伸入罐內旋轉一圈馬上抽出，再迅速將火罐扣在肝俞穴上。

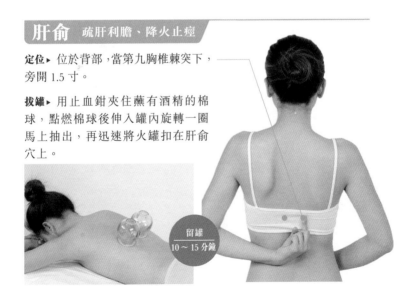

留罐
10 ～ 15 分鐘

脾俞　健脾和胃、利濕升清

定位▸ 位於背部，當第十一胸椎棘突下，旁開 1.5 寸。

拔罐▸ 用止血鉗夾住蘸有酒精的棉球，點燃棉球後伸入罐內旋轉一圈馬上抽出，再迅速將火罐扣在脾俞穴上。

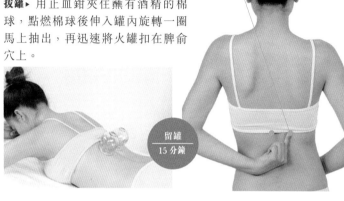

留罐
15 分鐘

足三里　生發胃氣、燥化脾濕

定位▸ 位於小腿前外側，當犢鼻下 3 寸，距脛骨前緣一橫指（中指）。

拔罐▸ 選擇大小適中的氣罐，用拔罐器將氣罐吸拔在足三里穴上。對側以同樣的手法操作。

留罐
15 分鐘

打嗝

　　打嗝，中醫稱之為呃逆，指氣從胃中上逆，喉間頻頻作聲，聲音急而短促，是生理上常見的一種現象。現代醫學認為其由橫膈膜痙攣收縮引起。呃逆的原因有多種，一般病情不重，可自行消退。中醫辨證時可分為胃中寒冷、胃氣上逆、氣逆痰阻、脾胃陽虛、胃陰不足等證型。

特效穴位　1. 膻中　2. 巨闕　3. 關元
　　　　　　另外再加上拔罐膈俞（見027頁）、內關（見033頁）、天宗（見137頁）效果更佳。

膻中　活血通絡、清肺寬胸

定位▶ 位於胸部，當前正中線上，平第四肋間，兩乳頭連線的中點。

拔罐▶ 選擇大小適中的氣罐，用拔罐器將氣罐吸拔在膻中穴上，注意吸附力不宜過大，以免產生壓迫感。

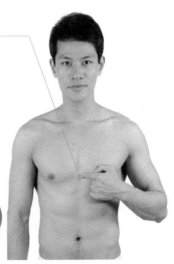

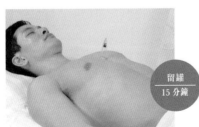

留罐
15分鐘

巨闕 寬胸理氣、調理胃腸

定位 ▶ 位於上腹部，前正中線上，當臍中上 6 寸。

拔罐 ▶ 選擇大小適中的氣罐，用拔罐器將氣罐吸拔在巨闕穴上，注意吸附力宜稍小，以免產生疼痛感。

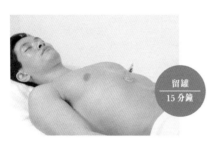

留罐
15 分鐘

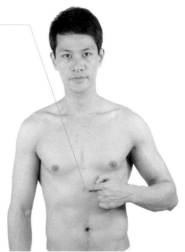

關元 固本培元、通經理氣

定位 ▶ 位於下腹部，前正中線上，當臍中下 3 寸。

拔罐 ▶ 選擇大小適中的氣罐，用拔罐器將氣罐吸拔在關元穴上，注意此處拔罐吸附力不宜過大，以免出現疼痛感。

留罐
15 分鐘

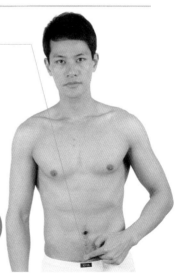

腹脹

腹脹是一種常見的消化系統症狀。引起腹脹的原因主要見於胃腸道脹氣、各種原因所致的腹水、腹腔腫瘤等。正常人胃腸道內可有少量氣體，約 150 毫升，當嚥入胃內空氣過多或消化吸收功能不良時，胃腸道內產氣過多，而腸道內的氣體又不能從肛門排出體外，則可導致腹脹。

特效穴位　1. 脾俞　2. 中脘　3. 豐隆
另外再加上拔罐內關（見 033 頁）、天樞（見 079 頁）效果更佳。

脾俞　健脾和胃、利濕升清

定位▸ 位於背部，當第十一胸椎棘突下，旁開 1.5 寸。

拔罐▸ 用止血鉗夾住蘸有酒精的棉球，點燃棉球後伸入罐內旋轉一圈馬上抽出，再迅速將火罐扣在脾俞穴上。

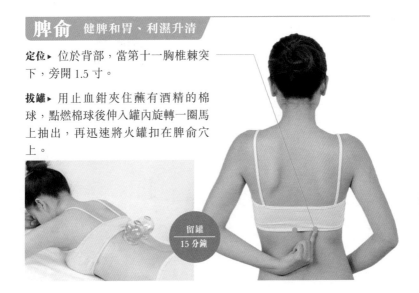

留罐
15 分鐘

中脘 健脾化濕、理氣和胃

定位▶ 位於上腹部，前正中線上，當臍中上4寸。

拔罐▶ 用止血鉗夾住蘸有酒精的棉球，點燃棉球後伸入罐內旋轉一圈馬上抽出，再迅速將火罐扣在中脘穴上。

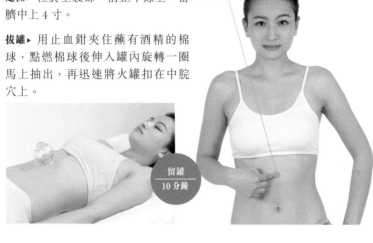

留罐
10分鐘

豐隆 健脾祛濕、理氣和胃

定位▶ 位於小腿前外側，當外踝尖上8寸，距脛骨前緣二橫指（中指）。

拔罐▶ 選擇大小適中的氣罐，用拔罐器將氣罐吸拔在豐隆穴上。對側以同樣的手法操作。

留罐
15分鐘

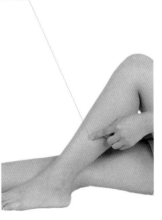

腹瀉

腹瀉是大腸疾病最常見的一種症狀，是指排便次數明顯超過日常習慣的排便次數，糞質稀薄，水份增多，每日排便總量超過 200 克。正常人群每天只需排便一次，且大便成形，顏色呈黃褐色。腹瀉主要分為急性與慢性，急性腹瀉發病時期為一至兩個星期，但慢性腹瀉的病程則在兩個月以上，多由肛腸疾病所引起。

特效穴位 1. 中脘　2. 天樞　3. 關元
另外再加上拔罐足三里（見 031 頁）、脾俞（見 061 頁）、胃俞（見 063 頁）效果更佳。

中脘　健脾化濕、理氣和胃

定位▸ 位於上腹部，前正中線上，當臍中上 4 寸。

拔罐▸ 用止血鉗夾住蘸有酒精的棉球，點燃棉球後伸入罐內旋轉一圈馬上抽出，再迅速將火罐扣在中脘穴上。

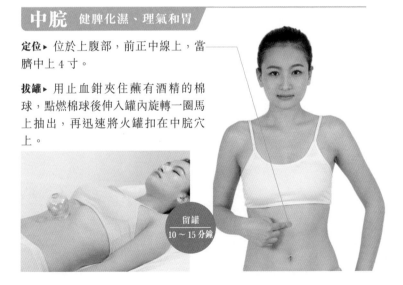

留罐
10 ~ 15 分鐘

天樞 調理胃腸、消炎止瀉

定位▸ 位於腹中部，距臍中 2 寸。

拔罐▸ 選擇大小適中的氣罐，用拔罐器將兩個氣罐吸拔在兩側天樞穴上，拔罐時吸附力宜稍大，以免氣罐中途脫落。

留罐
10 ~ 15 分鐘

關元 固本培元、調理衝任

定位▸ 位於下腹部，前正中線上，當臍中下 3 寸。

拔罐▸ 選擇大小適中的氣罐，用拔罐器將氣罐吸拔在關元穴上，注意吸附力不宜過大，以免產生疼痛感。

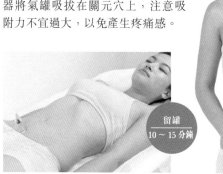

留罐
10 ~ 15 分鐘

便秘

便秘是臨床常見的複雜症狀。主要是指排便次數減少、糞便量減少、糞便乾結、排便費力等。引起便秘的原因有：飲食不當，如飲水過少或進食含纖維素的食物過少；生活壓力過大，精神緊張；濫用瀉藥，對藥物產生依賴形成便秘；結腸運動功能紊亂；年老體虛，排便無力等。

特效穴位　1.脾俞　2.胃俞　3.大腸俞
另外再加上拔罐天樞（見079頁）、大橫（見107頁）效果更佳。

脾俞　健脾和胃、利濕升清

定位▶ 位於背部，當第十一胸椎棘突下，旁開 1.5 寸。

拔罐▶ 用止血鉗夾住蘸有酒精的棉球，點燃棉球後伸入罐內旋轉一圈馬上抽出，再迅速將火罐扣在脾俞穴上。

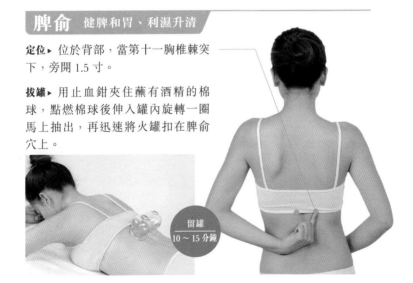

留罐
10～15分鐘

胃俞　和胃降逆、健脾助運

定位▶ 位於背部，當第十二胸椎棘突下，旁開 1.5 寸。

拔罐▶ 用止血鉗夾住蘸有酒精的棉球，點燃棉球後伸入罐內旋轉一圈馬上抽出，再迅速將火罐扣在胃俞穴上。

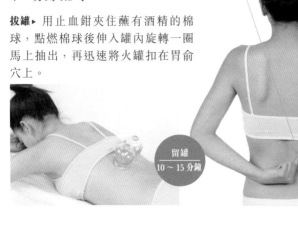

留罐
10 ～ 15 分鐘

大腸俞　理氣降逆、調和腸胃

定位▶ 位於腰部，當第四腰椎棘突下，旁開 1.5 寸。

拔罐▶ 用止血鉗夾住蘸有酒精的棉球，點燃棉球後伸入罐內旋轉一圈馬上抽出，再迅速將火罐扣在大腸俞穴上。

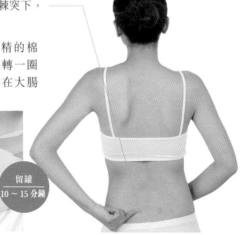

留罐
10 ～ 15 分鐘

痢疾

痢疾又稱為腸辟、滯下，為急性腸道傳染病之一，臨床表現為腹痛、腹瀉、裏急後重、排膿血便，伴全身中毒等症狀。一般起病急，以高熱、腹瀉、腹痛為主要症狀，若發生驚厥、嘔吐，多為疫毒痢。中醫認為，此病由濕熱之邪、內傷脾胃，致脾失健運，胃失消導，肝虛挾積而成。

特效穴位 1. 天樞　2. 大巨　3. 足三里
另外再加上拔罐中脘（見 063 頁）效果更佳。

天樞 調理胃腸、消炎止瀉

定位▶ 位於腹中部，距臍中 2 寸。

拔罐▶ 選擇大小適中的氣罐，用拔罐器將兩個氣罐分別吸拔在兩側天樞穴上，拔罐時吸附力宜稍大，以免氣罐中途脫落。

留罐
10 ～ 15 分鐘

大巨　調腸胃、固腎氣

定位▶ 位於下腹部，當臍中下 2 寸，距前正中線 2 寸。

拔罐▶ 選擇大小適中的氣罐，用拔罐器將兩個氣罐分別吸拔在兩側大巨穴上，吸附力適中。

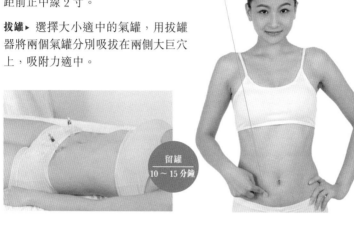

留罐
10 ～ 15 分鐘

足三里　生發胃氣、燥化脾濕

定位▶ 位於小腿前外側，當犢鼻下 3 寸，距脛骨前緣一橫指（中指）。

拔罐▶ 選擇大小適中的氣罐，用拔罐器將氣罐吸拔在足三里穴上。對側以同樣的手法操作。

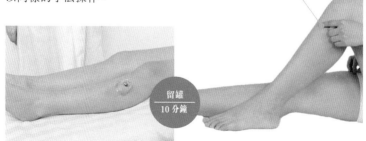

留罐
10 分鐘

急性腸炎

急性腸炎是消化系統疾病中較為常見的疾病。致病原因是腸道細菌、病毒感染或飲食不當（如進食了變質食物，食物中帶有化學物質、寄生蟲，食物過敏）等。臨床表現為發熱、腹痛、腹瀉、腹脹，伴有不同程度的噁心、嘔吐，糞便為黃色水樣便，伴有四肢無力等表現。嚴重者可能會脫水，甚至發生休克。

特效穴位 1. 中脘　2. 天樞　3. 關元
另外再加上拔罐足三里（見 031 頁）效果更佳。

中脘　健脾化濕、理氣和胃

定位▶ 位於上腹部，前正中線上，當臍中上 4 寸。

拔罐▶ 用止血鉗夾住蘸有酒精的棉球，點燃棉球後伸入罐內旋轉一圈馬上抽出，再迅速將火罐扣在中脘穴上。

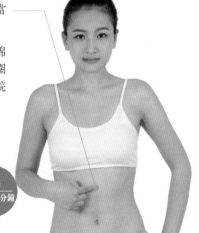

留罐
10～15分鐘

天樞　調理胃腸、消炎止瀉

定位▶ 位於腹中部，距臍中 2 寸。

拔罐▶ 選擇大小適中的氣罐，用拔罐器將兩個氣罐分別吸拔在兩側天樞穴上，拔罐時吸附力宜稍大，以免氣罐中途脫落。

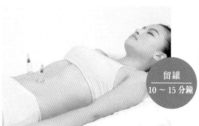

留罐
10～15分鐘

關元　固本培元、補氣回陽

定位▶ 位於下腹部，前正中線上，當臍中下 3 寸。

拔罐▶ 用止血鉗夾住蘸有酒精的棉球，點燃棉球後伸入罐內旋轉一圈馬上抽出，再迅速將火罐扣在關元穴上。

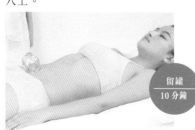

留罐
10分鐘

痔瘡

　　痔瘡又稱痔核，是肛腸外科最常見的疾病。臨床上分為三種類型：位於肛門齒線以上的為內痔，在齒線外的為外痔，二者混合存在的稱混合痔。外痔主要表現為感染發炎或形成血栓外痔時，會導致局部腫痛；內痔主要表現為便後帶血，重者會造成不同程度貧血。中醫認為本病多由大腸素積濕熱，或過食炙烤辛辣之物所致。

特效穴位 1. 大腸俞　2. 足三里　3. 承山
另外再加上拔罐豐隆（見 041 頁）效果更佳。

大腸俞 理氣降逆、調和腸胃

定位▶ 位於腰部，當第四腰椎棘突下，旁開 1.5 寸。

拔罐▶ 用止血鉗夾住蘸有酒精的棉球，點燃棉球後伸入罐內旋轉一圈馬上抽出，再迅速將火罐扣在大腸俞穴上。

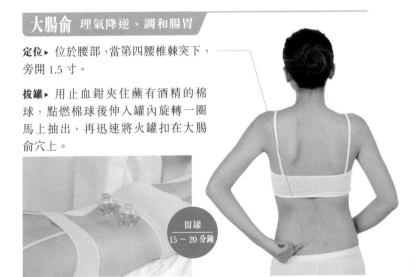

留罐
15～20 分鐘

足三里 扶正培元、升降氣機

定位▶ 位於小腿前外側，當犢鼻下 3 寸，距脛骨前緣一橫指（中指）。

拔罐▶ 選擇大小適中的氣罐，用拔罐器將氣罐吸拔在足三里穴上。對側以同樣的手法操作。

留罐
15分鐘

承山 理氣止痛、舒經活絡

定位▶ 位於小腿後面正中，委中與崑崙之間，當足跟上提時腓腸肌肌腹下出現尖角凹陷處。

拔罐▶ 選擇大小適中的氣罐，用拔罐器將氣罐吸拔在承山穴上。對側以同樣的手法操作。

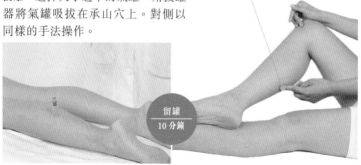

留罐
10分鐘

膽結石

膽結石是指發生在膽囊內的結石所引起的疾病,是一種常見病,隨年齡增長,發病率也逐漸升高,且女性明顯多於男性。隨着生活水平的提高、飲食習慣的改變、衛生條件的改善,我國的膽石症已由以膽管的膽色素結石為主逐漸轉變為以膽囊膽固醇結石為主。

特效穴位 1.肝俞 2.膽俞 3.期門
另外再加上拔罐日月(見 071 頁)、陽陵泉(見 158 頁)效果更佳。

肝俞 疏肝利膽、降火止痙

定位▶ 位於背部,當第九胸椎棘突下,旁開 1.5 寸。

拔罐▶ 用止血鉗夾住蘸有酒精的棉球,點燃棉球後伸入罐內旋轉一圈馬上抽出,再迅速將火罐扣在肝俞穴上。

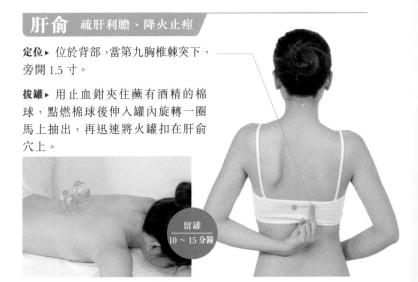

留罐
10～15 分鐘

膽俞　外散膽腑之熱

定位▸ 位於背部，當第十胸椎棘突下，旁開 1.5 寸。

拔罐▸ 用止血鉗夾住蘸有酒精的棉球，點燃棉球後伸入罐內旋轉一圈馬上抽出，再迅速將火罐扣在膽俞穴上。

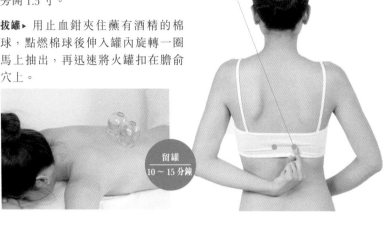

留罐
10～15 分鐘

期門　疏肝利膽、理氣活血

定位▸ 位於乳頭直下，平第六肋間，前正中線旁開 4 寸。

拔罐▸ 選擇大小適中的氣罐，用拔罐器將氣罐吸拔在期門穴上。

留罐
15 分鐘

脂肪肝

脂肪肝是指各種原因引起的肝細胞內脂肪堆積過多的病變。脂肪肝正嚴重地威脅着國人的健康，成為僅次於病毒性肝炎的第二大肝病，已被公認為隱蔽性肝硬化的常見原因。在經常失眠、疲勞、不思茶飯、胃腸功能失調的亞健康人群中脂肪肝的發病率較高。

特效穴位　1. 肝俞　2. 脾俞　3. 期門
另外再加上拔罐大椎（見 024 頁）、足三里（見 031 頁）、至陽（見 057 頁）效果更佳。

肝俞　疏肝利膽、降火止痙

定位 ▶ 位於背部，當第九胸椎棘突下，旁開 1.5 寸。

拔罐 ▶ 用止血鉗夾住蘸有酒精的棉球，點燃棉球後伸入罐內旋轉一圈馬上抽出，再迅速將火罐扣在肝俞穴上。

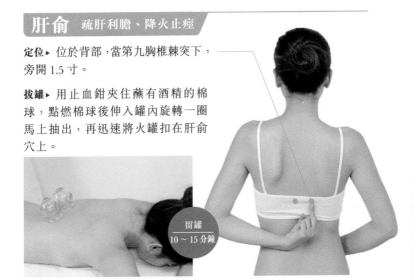

留罐
10 ～ 15 分鐘

脾俞 健脾和胃、利濕升清

定位▶ 位於背部，當第十一胸椎棘突下，旁開 1.5 寸。

拔罐▶ 用止血鉗夾住蘸有酒精的棉球，點燃棉球後伸入罐內旋轉一圈馬上抽出，再迅速將火罐扣在脾俞穴上。

留罐
15 分鐘

期門 疏肝健脾、理氣活血

定位▶ 位於胸部，當乳頭直下，第六肋間隙，前正中線旁開 4 寸。

拔罐▶ 選擇大小適中的氣罐，用拔罐器將氣罐吸拔在期門穴上。對側以同樣的手法操作。

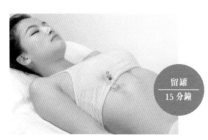

留罐
15 分鐘

❻ 內分泌及循環系統疾病

高脂血症

　　血脂主要是指血清中的膽固醇和三酰甘油。無論是膽固醇含量增高，還是三酰甘油的含量增高，或是兩者皆增高，統稱為高脂血症。高血脂可直接引起一些嚴重危害人體健康的疾病，如腦卒中、冠狀動脈粥樣硬化性心臟病、心肌梗死、心臟猝死等，也是導致高血壓、糖尿病的一個重要危險因素。

特效穴位
　　1. **大椎**　2. **曲池**　3. **陽陵泉**
　　另外再加上拔罐足三里(見031頁)、血海(見149頁)、太溪（見149頁）效果更佳。

大椎　培補元氣、通調經絡

定位▸ 位於後正中線上，第七頸椎棘突下凹陷中。

拔罐▸ 用止血鉗夾住蘸有酒精的棉球，點燃棉球後伸入罐內旋轉一圈馬上抽出，再迅速將火罐扣在大椎穴上。

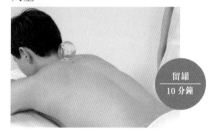

留罐
10分鐘

曲池 清熱和營、降逆活絡

定位▶ 位於肘橫紋外側端，屈肘，當尺澤與肱骨外上髁的連線中點。

拔罐▶ 選擇大小適中的氣罐，用拔罐器將氣罐吸拔在曲池穴上。對側以同樣的手法操作。

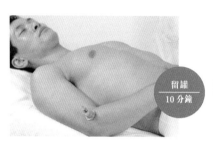

留罐
10分鐘

陽陵泉 疏肝解郁調肝腎

定位▶ 位於小腿外側，當腓骨小頭前下方凹陷處。

拔罐▶ 選擇大小適中的氣罐，用拔罐器將氣罐吸拔在陽陵泉穴上。對側以同樣的手法操作。

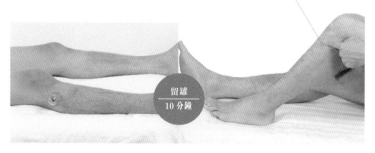

留罐
10分鐘

糖尿病

糖尿病是由於血中胰島素相對不足，導致血糖過高，出現糖尿，引起脂肪和蛋白質代謝紊亂的常見的內分泌代謝性疾病。臨床上可出現多尿、煩渴、多飲、多食、消瘦等表現，持續高血糖與長期代謝紊亂等症狀可導致眼、腎、心血管系統及神經系統的損害及其功能障礙或衰竭。

特效穴位
1. 肺俞　2. 脾俞　3. 腎俞
另外再加上拔罐足三里（見 031 頁）、三陰交（見 051 頁）、三焦俞（見 097 頁）效果更佳。

肺俞　調肺和營、補勞清熱

定位▶ 位於背部，當第三胸椎棘突下，旁開 1.5 寸。

拔罐▶ 用止血鉗夾住蘸有酒精的棉球，點燃棉球後伸入罐內旋轉一圈馬上抽出，再迅速將火罐扣在肺俞穴上。

留罐
15 分鐘

脾俞　健脾和胃、利濕升清

定位▶ 位於背部，當第十一胸椎棘突下，旁開 1.5 寸。

拔罐▶ 用止血鉗夾住蘸有酒精的棉球，點燃棉球後伸入罐內旋轉一圈馬上抽出，再迅速將火罐扣在脾俞穴上。

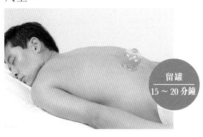

留罐
15～20分鐘

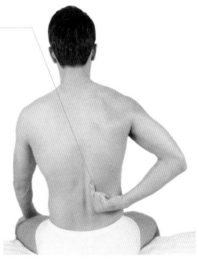

腎俞　益腎助陽、調節腎氣

定位▶ 位於腰部，當第二腰椎棘突下，旁開 1.5 寸。

拔罐▶ 用止血鉗夾住蘸有酒精的棉球，點燃棉球後伸入罐內旋轉一圈馬上抽出，再迅速將火罐扣在腎俞穴上。

留罐
15分鐘

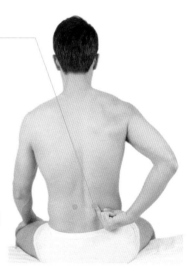

肥胖症

肥胖是指一定程度的明顯超重與脂肪層過厚，是體內脂肪（尤其是三酰甘油）積聚過多而導致的一種狀態。本症狀是由於食物攝入過多或機體代謝改變而導致體內脂肪積聚過多，造成體重過度增長。肥胖嚴重者容易有血壓高、心血管病、肝臟病變、腫瘤、睡眠呼吸暫停等一系列的問題。

特效穴位　1. 肺俞　2. 三焦俞　3. 陽池
另外再加上拔罐胃俞（見 063 頁）效果更佳。

肺俞　調補肺氣呼吸暢

定位▶ 位於背部，當第三胸椎棘突下，旁開 1.5 寸。

拔罐▶ 用止血鉗夾住蘸有酒精的棉球，點燃棉球後伸入罐內旋轉一圈馬上抽出，再迅速將火罐扣在肺俞穴上。

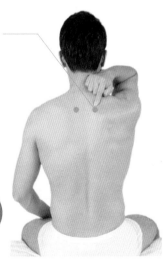

留罐
10分鐘

三焦俞 調三焦、利水強腰

定位▶ 位於腰部,當第一腰椎棘突下,旁開 1.5 寸。

拔罐▶ 用止血鉗夾住蘸有酒精的棉球,點燃棉球後伸入罐內旋轉一圈馬上抽出,再迅速將火罐扣在三焦俞穴上。

留罐
10分鐘

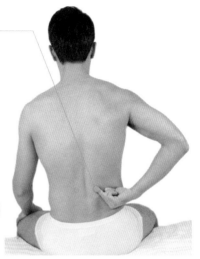

陽池 清熱通絡、通調三焦

定位▶ 位於腕背橫紋中,當指總伸肌腱的尺側緣凹陷處。

拔罐▶ 選擇大小適中的氣罐,用拔罐器將氣罐吸拔在陽池穴上。對側以同樣的手法操作。

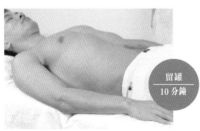

留罐
10分鐘

中暑

中暑指長時間在高溫和熱輻射的作用下，機體出現體溫調節障礙，水、電解質代謝紊亂及神經系統與循環系統障礙為主要表現的急性疾病。主要症狀有頭痛、頭暈、口渴、多汗、發熱、噁心、嘔吐、胸悶、四肢無力發痠、脈搏細速、血壓下降，重症者有頭痛劇烈、昏厥、昏迷、痙攣等症狀。

特效穴位　1. 大椎　2. 委中　3. 曲池

大椎　解表通陽、補虛寧神

定位▸ 位於後正中線上，第七頸椎棘突下凹陷中。

拔罐▸ 用止血鉗夾住蘸有酒精的棉球，點燃棉球後伸入罐內旋轉一圈馬上抽出，再迅速將火罐扣在大椎穴上。

留罐
10分鐘

委中 　清熱涼血、洩熱清暑

定位 ▶ 位於膕橫紋中點，當股二頭肌腱與半腱肌肌腱的中間。

拔罐 ▶ 選擇大小適中的氣罐，用拔罐器將氣罐吸拔在委中穴上。對側以同樣的手法操作。

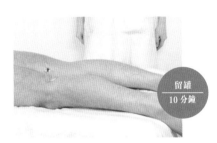

留罐
10分鐘

曲池 　舒經活絡、涼血解毒

定位 ▶ 位於肘橫紋外側端，屈肘，當尺澤與肱骨外上髁的連線中點。

拔罐 ▶ 選擇大小適中的氣罐，用拔罐器將氣罐吸拔在曲池穴上。對側以同樣的手法操作。

留罐
10分鐘

甲亢

甲亢全稱甲狀腺功能亢進，俗稱「大脖子病」。患者的甲狀腺激素分泌增多，造成身體各系統的興奮和代謝亢進。主要臨床表現為多食、消瘦、畏熱、好動、多汗、失眠、激動、易怒等。由於神經和循環系統的興奮，患者還會出現不同程度的甲狀腺腫大和眼突、手顫等表現。

特效穴位　1. 腎俞　2. 天突　3. 合谷
另外再加上拔罐肺俞（見 026 頁）效果更佳。

腎俞　益腎助陽、調節腎氣

定位▶ 位於腰部，當第二腰椎棘突下，旁開 1.5 寸。

拔罐▶ 用止血鉗夾住蘸有酒精的棉球，點燃棉球後伸入罐內旋轉一圈馬上抽出，再迅速將火罐扣在腎俞穴上。

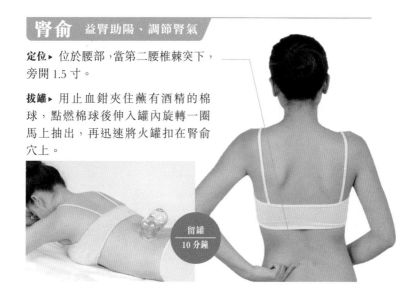

留罐
10 分鐘

天突　理氣散結消腫痛

定位▶ 位於頸部，當前正中線上，胸骨上窩中央。

拔罐▶ 選擇大小適中的氣罐，用拔罐器將氣罐吸拔在天突穴上，注意吸附力宜稍小，以免負壓過大壓迫氣管。

留罐
10分鐘

合谷　鎮靜止痛、通經活絡

定位▶ 位於手背，第一、二掌骨間，當第二掌骨橈側的中點處。

拔罐▶ 選擇大小適中的氣罐，用拔罐器將氣罐吸拔在合谷穴上。對側以同樣的手法操作。

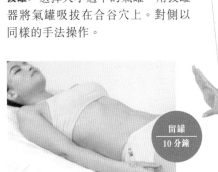

留罐
10分鐘

類風濕關節炎

類風濕關節炎的發病原因至今仍不是很清楚，但多數學者認為與自身免疫系統有關，是一種自身免疫性疾病。本病多發生於手指、膝關節處，此炎症致使關節周圍組織遭到破壞，使得關節功能發生障礙，導致疼痛、僵硬、腫脹，甚至發生畸形。本病與風濕性關節炎的顯著區別是多以對稱性出現。

特效穴位　1. 脾俞　2. 腎俞　3. 委中
另外再加上拔罐合谷（見023頁）、曲池（見025頁）、大杼（見057頁）效果更佳。

脾俞　健脾和胃、利濕升清

定位▸ 位於背部，當第十一胸椎棘突下，旁開 1.5 寸。

拔罐▸ 用止血鉗夾住蘸有酒精的棉球，點燃棉球後伸入罐內旋轉一圈馬上抽出，再迅速將火罐扣在脾俞穴上。

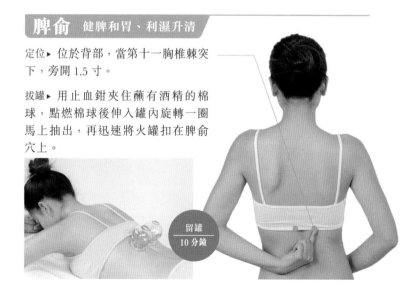

留罐
10 分鐘

腎俞　益腎助陽、調節腎氣

定位▶ 位於腰部,當第二腰椎棘突下,旁開 1.5 寸。

拔罐▶ 用止血鉗夾住蘸有酒精的棉球,點燃棉球後伸入罐內旋轉一圈馬上抽出,再迅速將火罐扣在腎俞穴上。

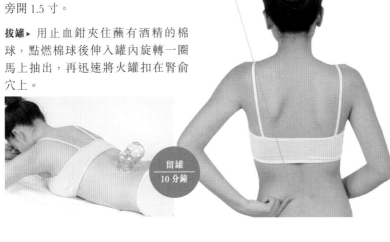

留罐
10 分鐘

委中　舒筋活絡、袪除風濕

定位▶ 位於膕橫紋中點,當股二頭肌腱與半腱肌肌腱的中間。

拔罐▶ 用止血鉗夾住蘸有酒精的棉球,點燃棉球後伸入罐內旋轉一圈馬上抽出,再迅速將火罐扣在委中穴上。

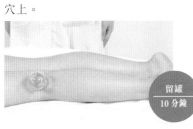

留罐
10 分鐘

陰囊潮濕

陰囊潮濕是指由於脾虛腎虛、藥物過敏、缺乏維生素、真菌滋生等原因引起的男性陰囊糜爛、潮濕、瘙癢等症狀，是一種男性特有的皮膚病。可分為急性期、亞急性期、慢性期三個過程。中醫認為，風邪、濕邪、熱邪、血虛、蟲淫等為致病的主要原因。

特效穴位　1. 大椎　2. 脾俞　3. 曲池
另外再加上拔罐三陰交（見 051 頁）、血海（見 149 頁）效果更佳。

大椎　清熱解表通陽

定位▶ 位於後正中線上，第七頸椎棘突下凹陷中。

拔罐▶ 用止血鉗夾住蘸有酒精的棉球，點燃棉球後伸入罐內旋轉一圈馬上抽出，再迅速將火罐扣在大椎穴上。

留罐
10分鐘

脾俞　健脾和胃、利濕升清

定位▸ 位於背部，當第十一胸椎棘突下，旁開 1.5 寸。

拔罐▸ 用止血鉗夾住蘸有酒精的棉球，點燃棉球後伸入罐內旋轉一圈馬上抽出，再迅速將火罐扣在脾俞穴上。

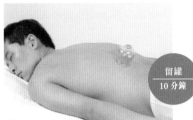

留罐
10分鐘

曲池　清熱和營、降逆活絡

定位▸ 位於肘橫紋外側端，屈肘，當尺澤與肱骨外上髁的連線中點。

拔罐▸ 選擇大小適中的氣罐，用拔罐器將氣罐吸拔在曲池穴上。對側以同樣的手法操作。

留罐
10分鐘

慢性腎炎

　　慢性腎炎是一種以慢性腎小球病變為主的腎小球疾病，也是一種常見的慢性腎臟疾病。此病潛伏時間長，病情發展緩慢，它可發生於任何年齡，但以青、中年男性為主，病程長達一年以上。慢性腎炎的症狀各異，大部份患者有明顯血尿、水腫、高血壓症狀，並伴有全身乏力、食慾不振、腹脹、貧血、腰膝痿軟等不適症狀。

特效穴位　1. 志室　2. 大橫　3. 京門

志室 補腎、利濕、強腰腎

定位▶ 位於腰部，當第二腰椎棘突下，旁開 3 寸。

拔罐▶ 用止血鉗夾住蘸有酒精的棉球，點燃棉球後伸入罐內旋轉一圈馬上抽出，再迅速將火罐扣在志室穴上。

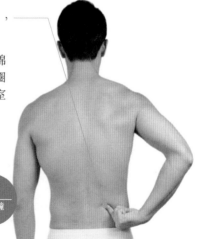

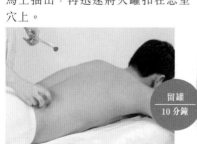

留罐
10 分鐘

大橫　調理腸胃、溫中散寒

定位▸ 位於腹中部，距臍中 4 寸。

拔罐▸ 選擇大小適中的氣罐，用拔罐器將氣罐吸拔在大橫穴上。

留罐
10 分鐘

京門　消脹利水、溫陽益腎

定位▸ 位於側腰部，當第十二肋骨游離端的下方。

拔罐▸ 選擇大小適中的氣罐，用拔罐器將氣罐吸拔在京門穴上。

留罐
10 分鐘

尿道炎

尿道炎是由於尿道損傷、尿道內異物、尿道梗阻、鄰近器官出現炎症或性生活不潔等原因引起的尿道細菌感染。因女性尿道短、直，所以多見於女性患者。患有尿道炎的人常會有尿頻、尿急，排尿時有燒灼感以至排尿困難等症狀，有些患者還有較多尿道分泌物，開始為黏液性，逐漸變為膿性。

特效穴位 1.腎俞　2.氣海　3.陰陵泉
另外再加上拔罐天樞（見079頁）效果更佳。

腎俞 益腎助陽、強腰利水

定位▶ 位於腰部，當第二腰椎棘突下，旁開 1.5 寸。

拔罐▶ 用止血鉗夾住蘸有酒精的棉球，點燃棉球後伸入罐內旋轉一圈馬上抽出，再迅速將火罐扣在腎俞穴上。

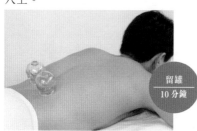

留罐
10分鐘

氣海　益氣助陽、調理衝任

定位▶ 位於下腹部，前正中線上，當臍中下 1.5 寸。

拔罐▶ 用止血鉗夾住蘸有酒精的棉球，點燃棉球後伸入罐內旋轉一圈馬上抽出，再迅速將火罐扣在氣海穴上。

留罐
10分鐘

陰陵泉　益腎利濕、宣洩水液

定位▶ 位於小腿內側，當脛骨內側髁後下方凹陷處。

拔罐▶ 選擇大小適中的氣罐，用拔罐器將氣罐吸拔在陰陵泉穴上。對側以同樣的手法操作。

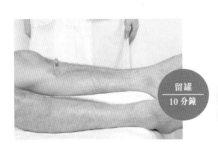
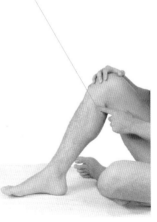

留罐
10分鐘

前列腺炎

前列腺炎是成年男性的常見病之一，是由多種複雜原因引起的前列腺炎症。前列腺炎的臨床表現具有多樣性，以尿道刺激症狀和慢性盆腔疼痛為其主要表現。其中尿道症狀為尿急、尿頻、排尿時有燒灼感、排尿疼痛，可伴有排尿終末血尿或尿道膿性分泌物等。

特效穴位 1. 腎俞　2. 陰陵泉　3. 三陰交
另外再加上拔罐足三里（見 031 頁）、太溪（見 149 頁）效果更佳。

腎俞　益腎助陽調腎氣

定位▶ 位於腰部，當第二腰椎棘突下，旁開 1.5 寸。

拔罐▶ 用止血鉗夾住蘸有酒精的棉球，點燃棉球後伸入罐內旋轉一圈馬上抽出，再迅速將火罐扣在腎俞穴上。

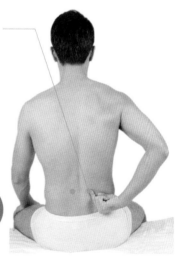

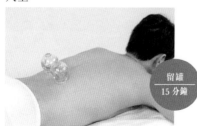

留罐
15 分鐘

陰陵泉 益腎調經、通經活絡

定位▶ 位於小腿內側，當脛骨內側髁後下方凹陷處。

拔罐▶ 選擇大小適中的氣罐，用拔罐器將氣罐吸拔在陰陵泉穴上。對側以同樣的手法操作。

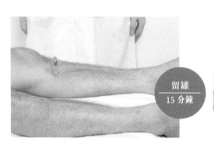

留罐
15 分鐘

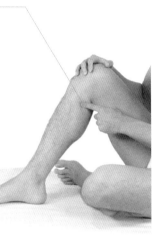

三陰交 健脾利濕、補益肝腎

定位▶ 位於小腿內側，當足內踝尖上3寸，脛骨內側緣後方。

拔罐▶ 選擇大小適中的氣罐，用拔罐器將氣罐吸拔在三陰交穴上。對側以同樣的手法操作。

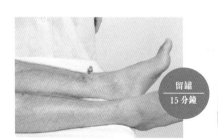

留罐
15 分鐘

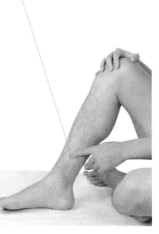

早洩

早洩是指性交時間極短，或陰莖插入陰道就射精，隨後陰莖即疲軟，不能正常進行性交的一種病症，是一種常見的男性性功能障礙。中醫認為本病多由於房勞過度或頻繁手淫，導致腎精虧耗、腎陰不足、相火偏亢，或體虛贏弱，虛損遺精日久，腎氣不固，導致腎陰陽俱虛所致。

特效穴位 1. 命門　2. 腎俞　3. 氣海
另外再加上拔罐足三里（見 031 頁）、三陰交（見051 頁）、太溪（見 149 頁）效果更佳。

命門　補腎壯陽

定位▶ 位於腰部，當後正中線上，第二腰椎棘突下凹陷中。

拔罐▶ 用止血鉗夾住蘸有酒精的棉球，點燃棉球後伸入罐內旋轉一圈馬上抽出，再迅速將火罐扣在命門穴上。

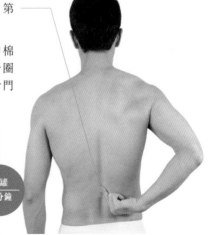

留罐
10 分鐘

腎俞 益腎助陽、調節生殖功能

定位▶ 位於腰部，當第二腰椎棘突下，旁開 1.5 寸。

拔罐▶ 用止血鉗夾住蘸有酒精的棉球，點燃棉球後伸入罐內旋轉一圈馬上抽出，再迅速將火罐扣在腎俞穴上。

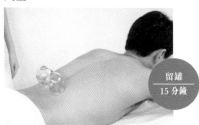

留罐
15 分鐘

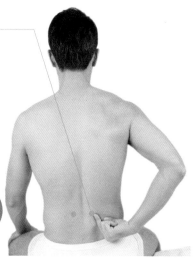

氣海 益氣助陽、調經固經

定位▶ 位於下腹部，前正中線上，當臍中下 1.5 寸。

拔罐▶ 選擇大小適中的氣罐，用拔罐器將氣罐吸拔在氣海穴上，注意吸附力不宜過大，以免產生疼痛感。

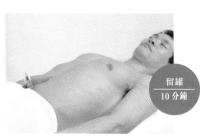

留罐
10 分鐘

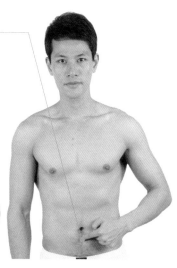

陽痿

　　陽痿即勃起功能障礙，是指在企圖性交時，陰莖勃起硬度不足以插入陰道，或陰莖勃起硬度維持時間不足以完成滿意的性生活。男性勃起是一個複雜的過程，與大腦、激素、情感、神經、肌肉和血管等都有關聯，前面一個或多個因素都有可能導致男性勃起功能障礙。

特效穴位　1. 腎俞　2. 腰陽關　3. 關元俞
另外再加上拔罐足三里（見 031 頁）、三陰交（見 051 頁）、關元（見 085 頁）效果更佳。

腎俞　益腎助陽、調節生殖功能

定位▸ 位於腰部，當第二腰椎棘突下，旁開 1.5 寸。

拔罐▸ 用止血鉗夾住蘸有酒精的棉球，點燃棉球後伸入罐內旋轉一圈馬上抽出，再迅速將火罐扣在腎俞穴上。

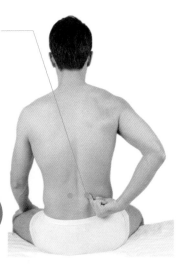

留罐
10 分鐘

腰陽關 除濕降濁、強健腰膝

定位▶ 位於腰部，當後正中線上，第四腰椎棘突下凹陷中。

拔罐▶ 用止血鉗夾住蘸有酒精的棉球，點燃棉球後伸入罐內旋轉一圈馬上抽出，再迅速將火罐扣在腰陽關穴上。

留罐
10 分鐘

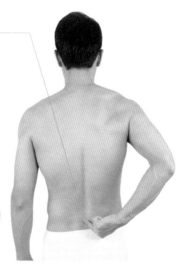

關元俞 溫腎壯陽、培補元氣

定位▶ 位於腰部，當第五腰椎棘突下，旁開 1.5 寸。

拔罐▶ 用止血鉗夾住蘸有酒精的棉球，點燃棉球後伸入罐內旋轉一圈馬上抽出，再迅速將火罐扣在關元俞穴上。

留罐
10 分鐘

不育症

生育的基本條件是要具有正常的性功能和能與卵子結合的正常精子。不育症指正常育齡夫婦婚後有正常性生活，長期不避孕卻未生育。在已婚夫婦中發生不育者約有15%，其中單純女性因素約為50%，單純男性因素約為30%。單純男性因素有內分泌疾病、生殖道感染、男性性功能障礙等。

特效穴位 1. 腎俞　2. 氣海　3. 足三里
另外再加上拔罐三陰交（見051頁）、膀胱俞（見123頁）效果更佳。

腎俞　益腎助陽、調節生殖功能

定位▸ 位於腰部，當第二腰椎棘突下，旁開 1.5 寸。

拔罐▸ 用止血鉗夾住蘸有酒精的棉球，點燃棉球後伸入罐內旋轉一圈馬上抽出，再迅速將火罐扣在腎俞穴上。

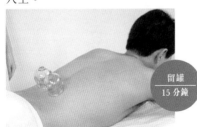

留罐
15分鐘

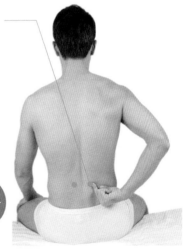

氣海 益氣助陽、調經固經

定位▶ 位於下腹部，前正中線上，當臍中下 1.5 寸。

拔罐▶ 用止血鉗夾住蘸有酒精的棉球，點燃棉球後伸入罐內旋轉一圈馬上抽出，再迅速將火罐扣在氣海穴上。

留罐
15 分鐘

足三里 扶正培元、通經活絡

定位▶ 位於小腿前外側，當犢鼻下 3 寸，距脛骨前緣一橫指（中指）。

拔罐▶ 選擇大小適中的氣罐，用拔罐器將氣罐吸拔在足三里穴上。對側以同樣的手法操作。

留罐
15 分鐘

性冷淡

性冷淡是指由於疾病、精神、年齡等因素導致的性慾缺乏，即對性生活缺乏興趣。性冷淡主要生理症狀體現在：性愛撫無反應或快感反應不足；無性愛快感或快感不足、遲鈍，缺乏性高潮；性器官發育不良或性器官萎縮、老化、細胞缺水、活性不足等。心理症狀主要是對性愛恐懼、厭惡及心理抵觸等。

特效穴位 1.命門　2.次髎　3.氣海

另外再加上拔罐三陰交（見051頁）、腎俞（見061頁）、關元（見085頁）效果更佳。

命門　補腎壯陽

定位▶ 位於腰部，當後正中線上，第二腰椎棘突下凹陷中。

拔罐▶ 選擇大小適中的氣罐，用拔罐器將氣罐吸拔在命門穴上，注意吸附力宜稍大，以免氣罐中途脫落。

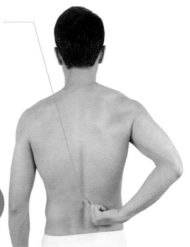

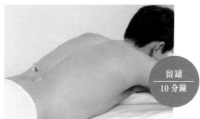

留罐
10分鐘

次髎 補腎壯陽、調理下焦

定位▶ 位於骶部，當髂後上棘內下方，適對第二骶骨後孔處。

拔罐▶ 用止血鉗夾住蘸有酒精的棉球，點燃棉球後伸入罐內旋轉一圈馬上抽出，再迅速將火罐扣在次髎穴上。

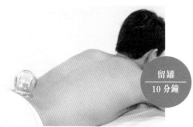

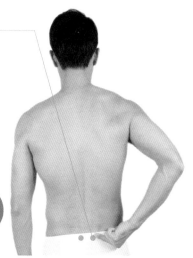

留罐
10 分鐘

氣海 益氣助陽、益腎固精

定位▶ 位於下腹部，前正中線上，當臍中下 1.5 寸。

拔罐▶ 用止血鉗夾住蘸有酒精的棉球，點燃棉球後伸入罐內旋轉一圈馬上抽出，再迅速將火罐扣在氣海穴上。

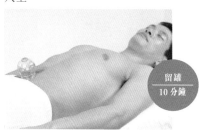

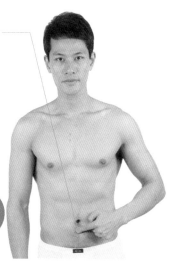

留罐
10 分鐘

遺精

遺精是指無性交而精液自行外洩的一種男性疾病。睡眠時精液外洩者為夢遺，清醒時精液外洩者為滑精。無論是夢遺還是滑精都統稱為遺精。一般成人男性遺精一週不超過一次屬正常的生理現象，如果一週數次或一日數次，並伴有精神萎靡、腰痠腿軟、心慌氣喘等，則屬於病理性遺精。

特效穴位　1. 心俞　2. 腎俞　3. 氣海
另外再加上拔罐三陰交（見051頁）效果更佳。

心俞　寬胸理氣、通絡安神

定位▶ 位於背部，當第五胸椎棘突下，旁開1.5寸。

拔罐▶ 用止血鉗夾住蘸有酒精的棉球，點燃棉球後伸入罐內旋轉一圈馬上抽出，再迅速將火罐扣在心俞穴上。

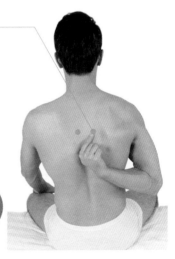

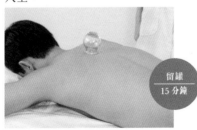

留罐
15分鐘

腎俞　益腎助陽、調節生殖功能

定位▶ 位於腰部，當第二腰椎棘突下，旁開 1.5 寸。

拔罐▶ 用止血鉗夾住蘸有酒精的棉球，點燃棉球後伸入罐內旋轉一圈馬上抽出，再迅速將火罐扣在腎俞穴上。

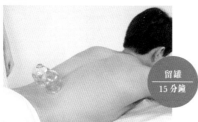

留罐
15 分鐘

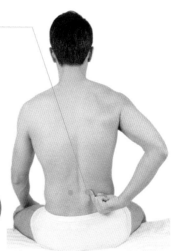

氣海　益氣助陽、益腎固精

定位▶ 位於下腹部，前正中線上，當臍中下 1.5 寸。

拔罐▶ 選擇大小適中的氣罐，用拔罐器將氣罐吸拔在氣海穴上，注意吸附力不宜過大，以免產生疼痛感。

留罐
10 分鐘

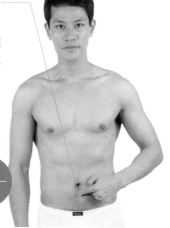

膀胱炎

　　膀胱炎是泌尿系統最常見的疾病，多見於女性。膀胱炎大多是由於細菌感染所引起，過於勞累、受涼、長時間憋尿、性生活不潔也容易發病。初起表現症狀輕微，僅有膀胱刺激症狀，如尿頻、尿急、尿痛、膿尿、血尿等，經治療會很快痊癒。膀胱炎分為急性與慢性兩種，兩者可互相轉化。

特效穴位 1. 三焦俞　2. 膀胱俞　3. 昆侖
另外再加上拔罐腎俞（見 061 頁）效果更佳。

三焦俞 調三焦、利水強腰

定位▸ 位於腰部，當第一腰椎棘突下，旁開 1.5 寸。

拔罐▸ 用止血鉗夾住蘸有酒精的棉球，點燃棉球後伸入罐內旋轉一圈馬上抽出，再迅速將火罐扣在三焦俞穴上。

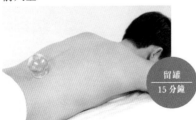

留罐
15 分鐘

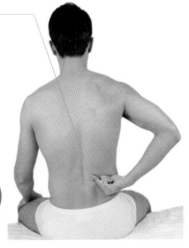

膀胱俞 清熱、利尿、通便

定位▶ 位於骶部，當骶正中嵴旁 1.5 寸，平第二骶後孔。

拔罐▶ 用止血鉗夾住蘸有酒精的棉球，點燃棉球後伸入罐內旋轉一圈馬上抽出，再迅速將火罐扣在膀胱俞穴上。

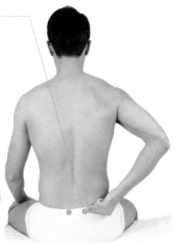

留罐
15 分鐘

昆侖 利水清熱、舒經活絡

定位▶ 位於足部外踝後方，當外踝尖與跟腱之間的凹陷處。

拔罐▶ 選擇大小適中的氣罐，用拔罐器將氣罐吸拔在昆侖穴上。對側以同樣的手法操作。

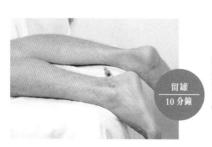

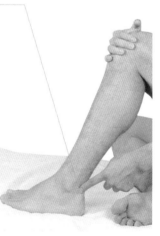

留罐
10 分鐘

尿瀦留

尿瀦留是指膀胱內積有大量尿液而不能排出的疾病，分為急性尿瀦留和慢性尿瀦留。前者表現為急性發生的膀胱脹滿而無法排尿，常常是有明顯尿意而不能排出引起疼痛，使患者焦慮不適。後者是持久而嚴重的梗阻病變引起的排尿困難，表現為尿頻、尿不盡感，下腹脹滿不適，可出現充溢性尿失禁。

特效穴位 1. **膀胱俞** 2. **氣海** 3. **陰陵泉**
另外再加上拔罐腎俞（見061頁）效果更佳。

膀胱俞 清熱、利尿、通便

定位▶ 位於骶部，當骶正中嵴旁 1.5寸，平第二骶後孔。

拔罐▶ 用止血鉗夾住蘸有酒精的棉球，點燃棉球後伸入罐內旋轉一圈馬上抽出，再迅速將火罐扣在膀胱俞穴上。

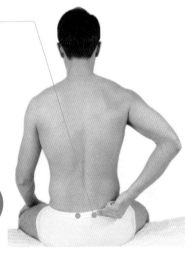

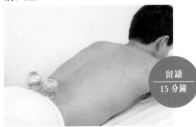

留罐
15分鐘

氣海　益氣助陽、消腫利尿

定位▶ 位於下腹部，前正中線上，當臍中下 1.5 寸。

拔罐▶ 選擇大小適中的氣罐，用拔罐器將氣罐吸拔在氣海穴上，注意吸附力不宜過大，以免產生疼痛感。

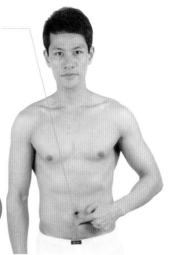

留罐
10 分鐘

陰陵泉　益腎利濕、宣洩水液

定位▶ 位於小腿內側，當脛骨內側髁後下方凹陷處。

拔罐▶ 選擇大小適中的氣罐，用拔罐器將氣罐吸拔在陰陵泉穴上。對側以同樣的手法操作。

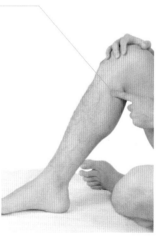

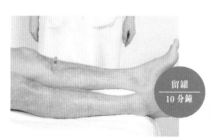

留罐
10 分鐘

婦產科疾病

月經不調

月經是機體受垂體前葉及卵巢內分泌激素的調節而呈現的有規律的週期性子宮內膜脫落現象。月經不調是指月經的週期、經色、經量、經質發生了改變，如垂體前葉或卵巢功能異常，就會發生月經不調。中醫認為本病多由腎虛而致衝、任功能失調，或肝熱不能藏血、脾虛不能生血等引起。

特效穴位　1. 大椎　2. 腎俞　3. 太沖
另外再加上拔罐三陰交（見 051 頁）效果更佳。

大椎　培補元氣、通調經絡

定位▶ 位於後正中線上，第七頸椎棘突下凹陷中。

拔罐▶ 用止血鉗夾住蘸有酒精的棉球，點燃棉球後伸入罐內旋轉一圈馬上抽出，再迅速將火罐扣在大椎穴上。

> 留罐
> 15分鐘

腎俞　益腎助陽、調節生殖功能

定位▶ 位於腰部，當第二腰椎棘突下，旁開 1.5 寸。

拔罐▶ 用止血鉗夾住蘸有酒精的棉球，點燃棉球後伸入罐內旋轉一圈馬上抽出，再迅速將火罐扣在腎俞穴上。

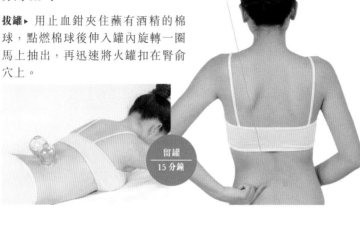

留罐
15 分鐘

太沖　疏肝養血、清利下焦

定位▶ 位於足背側，當足第一、二跖骨結合部之前凹陷中。

拔罐▶ 選擇大小適中的氣罐，用拔罐器將氣罐吸拔在太衝穴上。對側以同樣的手法操作。

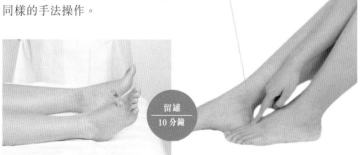

留罐
10 分鐘

痛經

痛經又稱「月經痛」，是指女性在月經前後或經期，出現下腹部或腰骶部劇烈疼痛，嚴重時伴有噁心、嘔吐、腹瀉，甚則昏厥。其發病原因常與精神因素、內分泌及生殖器局部病變有關。中醫認為本病多因情志鬱結，或經期受寒飲冷，以致經血滯於胞宮。或因體質虛弱、胞脈失養引起疼痛。

特效穴位
1. **腎俞**　2. **次髎**　3. **關元**
另外再加上拔罐足三里（見 031 頁）、三陰交（見 051 頁）效果更佳。

腎俞　益腎助陽、調節生殖功能

定位▸ 位於腰部，當第二腰椎棘突下，旁開 1.5 寸。

拔罐▸ 用止血鉗夾住蘸有酒精的棉球，點燃棉球後伸入罐內旋轉一圈馬上抽出，再迅速將火罐扣在腎俞穴上。

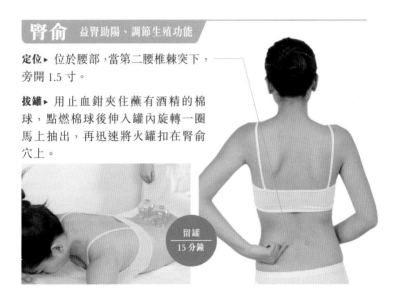

留罐
15 分鐘

次髎 調經止痛、補腎壯陽

定位▶ 位於骶部，當髂後上棘內下方，適對第二骶後孔處。

拔罐▶ 選擇大小適中的氣罐，用拔罐器將氣罐吸拔在次髎穴上，注意吸附力宜稍大，以免氣罐中途脫落。

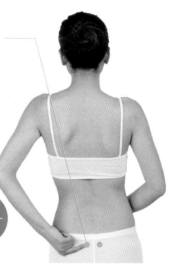

留罐
10 分鐘

關元 固本培元、調理衝任

定位▶ 位於下腹部，前正中線上，當臍中下 3 寸。

拔罐▶ 選擇大小適中的氣罐，用拔罐器將氣罐吸拔在關元穴上，注意吸附力不宜過大，以免產生疼痛感。

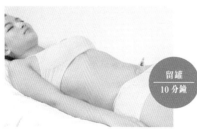

留罐
10 分鐘

閉經

閉經是指女性應有月經而超過一定時限仍未來潮者。正常女子一般 14 歲左右月經來潮，凡超過 18 歲尚未來潮者，為原發性閉經。月經週期建立後，又停經 6 個月以上者，為繼發性閉經。閉經多為內分泌系統的月經調節功能失常、子宮因素以及全身性疾病所致。

特效穴位　1. 肝俞　2. 腎俞　3. 關元
另外再加上拔罐三陰交（見 051 頁）、陰陵泉（見 109 頁）、血海（見 149 頁）效果更佳。

肝俞　疏肝利膽、降火止痙

定位▶ 位於背部，當第九胸椎棘突下，旁開 1.5 寸。

拔罐▶ 用止血鉗夾住蘸有酒精的棉球，點燃棉球後伸入罐內旋轉一圈馬上抽出，再迅速將火罐扣在肝俞穴上。

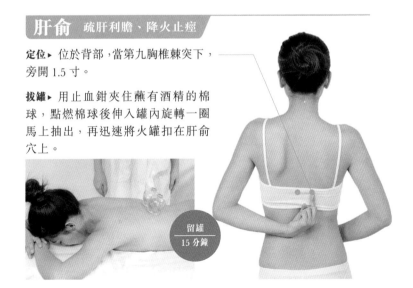

留罐
15 分鐘

腎俞　益腎助陽、調節生殖功能

定位▸ 位於腰部，當第二腰椎棘突下，旁開 1.5 寸。

拔罐▸ 用止血鉗夾住蘸有酒精的棉球，點燃棉球後伸入罐內旋轉一圈馬上抽出，再迅速將火罐扣在腎俞穴上。

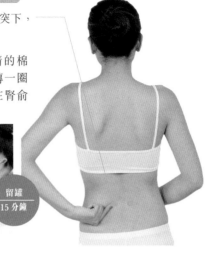

留罐
15 分鐘

關元　固本培元、調理沖任

定位▸ 位於下腹部，前正中線上，當臍中下 3 寸。

拔罐▸ 選擇大小適中的氣罐，用拔罐器將氣罐吸拔在關元穴上，注意吸附力不宜過大，以免產生疼痛感。

留罐
10 分鐘

崩漏

崩漏相當於西醫的功能失調性子宮出血，是指女性非週期性子宮出血。其發病急驟，暴下如注，大量出血者為「崩」；病勢緩，出血量少，淋漓不絕者為「漏」。崩與漏雖出血情況不同，但在發病過程中兩者常互相轉化，如崩血量漸少，可能轉化為漏，漏勢發展又可能變為崩，故臨床多以「崩漏」並稱。

特效穴位 1. 大椎　2. 氣海　3. 水泉
另外再加上拔罐曲池（見 025 頁）、關元（見 129 頁）、腎俞（見 134 頁）效果更佳。

大椎　培補元氣、通調經絡

定位▶ 位於後正中線上，第七頸椎棘突下凹陷中。

拔罐▶ 用止血鉗夾住蘸有酒精的棉球，點燃棉球後伸入罐內旋轉一圈馬上抽出，再迅速將火罐扣在大椎穴上。

留罐
10 分鐘

氣海 益氣助陽、調經固經

定位▸ 位於下腹部，前正中線上，當臍中下 1.5 寸。

拔罐▸ 將用止血鉗夾住蘸有酒精的棉球，點燃棉球後伸入罐內旋轉一圈馬上抽出，再迅速將火罐扣在氣海穴上。

留罐
10 分鐘

水泉 清熱益腎、通經活絡

定位▸ 位於足內側，內踝後下方，當太溪直下 1 寸（指寸），跟骨結節的內側凹陷處。

拔罐▸ 選擇大小適中的氣罐，用拔罐器將氣罐吸拔在水泉穴上。對側以同樣的手法操作。

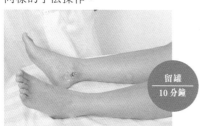

留罐
10 分鐘

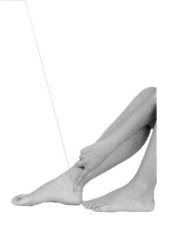

帶下病

帶下病指陰道分泌的白色分泌物，分泌量異常，色澤異常，或有臭味、異味，與生殖系統局部炎症、腫瘤或身體虛弱等因素有關。中醫學認為本病多因濕熱下注或氣血虧虛，致帶脈失約，沖、任失調而成。中醫將帶下病分為四型：肝火型、脾虛型、濕熱型和腎虛型。

特效穴位　1. 腎俞　2. 腰陽關　3. 十七椎
另外再加上拔罐三陰交（見 051 頁）、關元（見 129 頁）效果更佳。

腎俞　益腎助陽、調節生殖功能

定位▸ 位於腰部，當第二腰椎棘突下，旁開 1.5 寸。

拔罐▸ 用止血鉗夾住蘸有酒精的棉球，點燃棉球後伸入罐內旋轉一圈馬上抽出，再迅速將火罐扣在腎俞穴上。

留罐
10 分鐘

腰陽關 除濕降濁、強健腰膝

定位▸ 位於腰部，當後正中線上，第四腰椎棘突下凹陷中。

拔罐▸ 用止血鉗夾住蘸有酒精的棉球，點燃棉球後伸入罐內旋轉一圈馬上抽出，再迅速將火罐扣在腰陽關穴上。

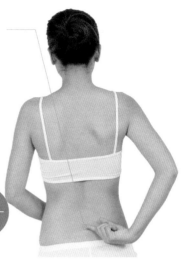

留罐
10分鐘

十七椎 強腰利尿、強腎補腎

定位▸ 位於腰部，當後正中線上，第五腰椎棘突下凹陷中。

拔罐▸ 用止血鉗夾住蘸有酒精的棉球，點燃棉球後伸入罐內旋轉一圈馬上抽出，再迅速將火罐扣在十七椎穴上。

留罐
10分鐘

乳腺增生

乳腺增生是女性最常見的乳房疾病，其發病率在乳腺疾病中佔首位。乳腺增生是指正常乳腺小葉生理性增生與復舊不全，乳腺正常結構出現紊亂。它屬於病理性增生，是既非炎症又非腫瘤的一類疾病。臨床表現為乳房疼痛、乳房腫塊及乳房溢液等。本病多認為由內分泌失調、精神因素、環境因素、服用過量激素保健品等所致。

特效穴位 1. 屋翳　2. 乳根　3. 天宗
另外再加上拔罐合谷（見 023 頁）、太沖（見 127 頁）、肩井（見 143 頁）效果更佳。

屋翳　行氣通乳

定位▶ 位於胸部，當第二肋間隙，距前正中線 4 寸。

拔罐▶ 選擇大小適中的氣罐，用拔罐器把氣罐吸拔在屋翳穴上。對側以同樣的手法操作。

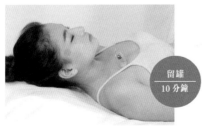

留罐
10 分鐘

乳根　通乳化瘀

定位▶ 位於胸部，當乳頭直下，乳房根部，第五肋間隙，距前正中線 4 寸。

拔罐▶ 選擇大小適中的氣罐，用拔罐器把氣罐吸拔在乳根穴上。

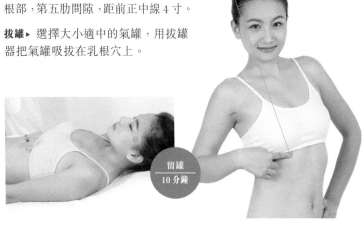

留罐
10分鐘

天宗　活血通絡‧消炎止痛

定位▶ 位於肩胛部，當岡下窩中央凹陷處，與第四胸椎相平。

拔罐▶ 選擇大小適中的氣罐，用拔罐器把氣罐吸拔在天宗穴上。對側以同樣的手法操作。

留罐
10分鐘

慢性盆腔炎

慢性盆腔炎指的是女性內生殖器官、周圍結締組織及盆腔腹膜發生慢性炎症，反覆發作，經久不癒，常因為急性炎症治療不徹底或因患者體質差、病情遷移所致。臨床表現主要有下腹墜痛或腰骶部痠痛、拒按，伴有低熱、白帶多、月經多、不孕等表現。此症較頑固，當機體抵抗力下降時易誘發急性發作。

特效穴位　1. 腎俞　2. 關元俞　3. 氣海
另外再加上拔罐三陰交（見 051 頁）、關元（見 085 頁）效果更佳。

腎俞　益腎助陽、調節生殖功能

定位▶ 位於腰部，當第二腰椎棘突下，旁開 1.5 寸。

拔罐▶ 用止血鉗夾住蘸有酒精的棉球，點燃棉球後伸入罐內旋轉一圈馬上抽出，再迅速將火罐扣在腎俞穴上。

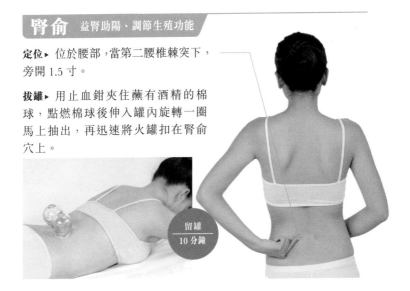

留罐
10 分鐘

關元俞 溫腎壯陽、培補元氣

定位▶ 位於腰部，當第五腰椎棘突下，旁開 1.5 寸。

拔罐▶ 用止血鉗夾住蘸有酒精的棉球，點燃棉球後伸入罐內旋轉一圈馬上抽出，再迅速將火罐扣在關元俞穴上。

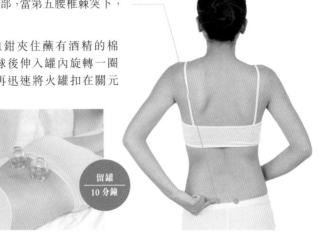

留罐
10分鐘

氣海 益氣助陽、調經固經

定位▶ 位於下腹部，前正中線上，當臍中下 1.5 寸。

拔罐▶ 用止血鉗夾住蘸有酒精的棉球，點燃棉球後伸入罐內旋轉一圈馬上抽出，再迅速將火罐扣在氣海穴上。

留罐
10分鐘

子宮脫垂

　　子宮脫垂又名子宮脫出，是指子宮從正常位置沿陰道向下移位。其病因為支托子宮及盆腔臟器之組織損傷或失去支托力，以及驟然或長期增加腹壓所致。常見症狀為腹部下墜、腰痠，嚴重者會出現排尿困難，或尿頻、尿瀦留、尿失禁及白帶多等症狀。

特效穴位　　1. 氣海　2. 關元　3. 足三里
另外再加上拔罐腎俞（見 061 頁）效果更佳。

氣海　益氣助陽、調經固經

定位▶ 位於下腹部，前正中線上，當臍中下 1.5 寸。

拔罐▶ 用止血鉗夾住蘸有酒精的棉球，點燃棉球後伸入罐內旋轉一圈馬上抽出，再迅速將火罐扣在氣海穴上。

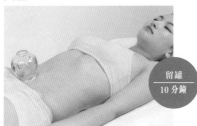

> 留罐
> 10 分鐘

關元 固本培元、調理沖任

定位▶ 位於下腹部，前正中線上，當臍中下 3 寸。

拔罐▶ 用止血鉗夾住蘸有酒精的棉球，點燃棉球後伸入罐內旋轉一圈馬上抽出，再迅速將火罐扣在關元穴上。

留罐
15 分鐘

足三里 扶正培元、通經活絡

定位▶ 位於小腿前外側，當犢鼻下 3 寸，距脛骨前緣一橫指（中指）。

拔罐▶ 選擇大小適中的氣罐，用拔罐器將氣罐吸拔在足三里穴上。對側以同樣的手法操作。

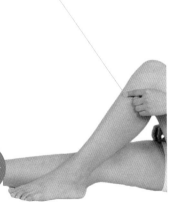

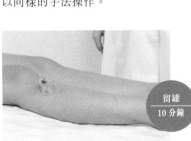

留罐
10 分鐘

骨傷科疾病

頸椎病

　　頸椎病多因頸椎骨、椎間盤及其周圍纖維結構損傷，致使頸椎間隙變窄，關節囊鬆弛，內平衡失調的一組臨床綜合徵。主要臨床表現為頭、頸、肩、臂、上胸背疼痛或麻木、痠沉、放射性痛，頭暈，無力，上肢及手感覺明顯減退，部份患者有明顯的肌肉萎縮。中醫認為本病多因督脈受損、經絡閉阻或氣血不足所致。

特效穴位　　1. 大椎　2. 肩外俞　3. 肩井
另外再加上拔罐天宗（見 032 頁）效果更佳。

大椎　通調督脈、滑利肩頸

定位▶ 位於後正中線上，第七頸椎棘突下凹陷中。

拔罐▶ 用止血鉗夾住蘸有酒精的棉球，點燃棉球後伸入罐內旋轉一圈馬上抽出，再迅速將火罐扣在大椎穴上。

留罐
10 分鐘

肩外俞　舒經活絡、祛風止痛

定位▶ 位於背部,當第一胸椎棘突下,旁開 3 寸。

拔罐▶ 用止血鉗夾住蘸有酒精的棉球,點燃棉球後伸入罐內旋轉一圈馬上抽出,再迅速將火罐扣在肩外俞穴上。

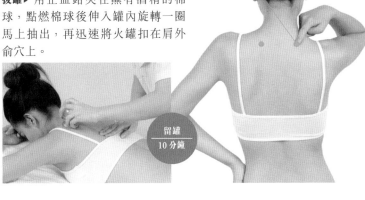

留罐
10 分鐘

肩井　消炎止痛、活絡消腫

定位▶ 位於肩上,前直乳中穴,當大椎穴與肩峰端連線的中點上。

拔罐▶ 選擇大小適中的氣罐,用拔罐器將氣罐吸拔在肩井穴上。

留罐
10 分鐘

肩周炎

肩周炎是肩部關節囊和關節周圍軟組織的一種退行性炎症性慢性疾患。主要臨床表現為患肢肩關節疼痛，晝輕夜重，活動受限，日久肩關節肌肉可出現失用性萎縮。中醫認為本病多由氣血不足，營衛不固，風、寒、濕之邪侵襲肩部經絡，致使筋脈收引，氣血運行不暢而成，或因外傷勞損、經脈滯澀所致。

特效穴位 1. 大椎　2. 厥陰俞　3. 肩井
另外再加上拔罐身柱（見029頁）、大杼（見057頁）、天宗（見137頁）效果更佳。

大椎　祛風散寒、滑利肩頸

定位▶ 位於後正中線上，第七頸椎棘突下凹陷中。

拔罐▶ 用止血鉗夾住蘸有酒精的棉球，點燃棉球後伸入罐內旋轉一圈馬上抽出，再迅速將火罐扣在大椎穴上。

留罐
10分鐘

厥陰俞 寬胸理氣、活血止痛

定位▶ 位於背部，當第四胸椎棘突下，旁開 1.5 寸。

拔罐▶ 用止血鉗夾住蘸有酒精的棉球，點燃棉球後伸入罐內旋轉一圈馬上抽出，再迅速將火罐扣在厥陰俞穴上。

留罐
10 分鐘

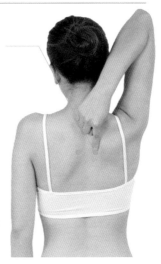

肩井 消炎止痛、活絡消腫

定位▶ 位於肩上，前直乳中，當大椎與肩峰端連線的中點上。

拔罐▶ 選擇大小適中的氣罐，用拔罐器將氣罐吸拔在肩井穴上。

留罐
10 分鐘

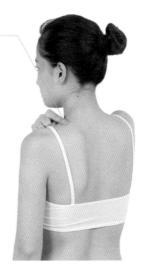

膝關節炎

膝關節炎是最常見的關節炎之一，是軟骨退行性病變和關節邊緣骨贅的慢性進行性退化性疾病，以軟骨磨損為其主要特徵，好發於體重偏重者和中老年人。在發病的前期，沒有明顯的症狀，繼而會有膝關節深部疼痛、壓痛，關節僵硬僵直、麻木、伸屈不利，無法正常活動，關節腫脹等表現。

特效穴位 1. 鶴頂 2. 梁丘 3. 委中
另外再加上拔罐承山（見 148 頁）效果更佳。

鶴頂 通利關節

定位▶ 位於膝上部，髕底的中點上方凹陷處。

拔罐▶ 選擇大小適中的氣罐，用拔罐器將氣罐吸拔在鶴頂穴上。對側以同樣的手法操作。

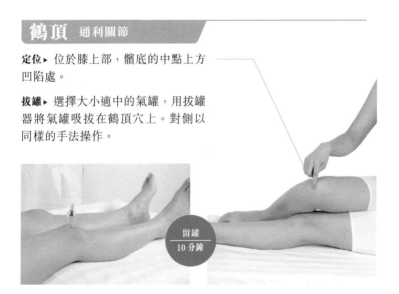

留罐
10 分鐘

梁丘 祛風化濕、通經活絡

定位▶ 屈膝,位於大腿前面,當髂前上棘與髕底外側端的連線上,髕底上2寸。

拔罐▶ 選擇大小適中的氣罐,用拔罐器把氣罐吸拔在梁丘穴上。對側以同樣的手法操作。

留罐
10分鐘

委中 舒筋活絡、祛除風濕

定位▶ 位於膕橫紋中點,當股二頭肌腱與半腱肌肌腱的中間。

拔罐▶ 用止血鉗夾住蘸有酒精的棉球,點燃棉球後伸入罐內旋轉一圈馬上抽出,再迅速將火罐扣在委中穴上。

留罐
10分鐘

腳踝疼痛

腳踝疼痛常是由於不適當的運動超出了腳踝的承受力，造成腳踝軟組織損傷，使它出現了一定的疼痛症狀。嚴重者可造成腳踝滑膜炎、創傷性關節炎等疾病，早期疼痛可以用毛巾包裹冰塊敷在踝部進行冰敷。患者日常生活中不宜扛重物，過度勞累，受寒冷刺激，要注意患肢的保暖並進行適當的活動。

特效穴位 1. 承山　2. 血海　3. 太溪
另外再加上拔罐水泉（見 133 頁）效果更佳。

承山　理氣止痛、舒筋活絡

定位▶ 位於小腿後面正中，當伸直小腿或足跟上提時，腓腸肌肌腹下出現的尖角凹陷處。

拔罐▶ 用止血鉗夾住蘸有酒精的棉球，點燃棉球後伸入罐內旋轉一圈馬上抽出，再迅速將火罐扣在承山穴上。

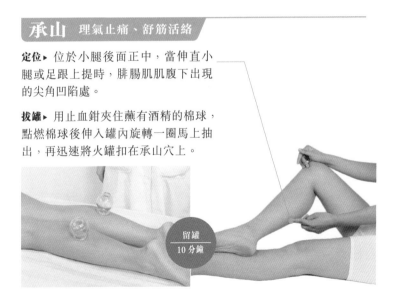

留罐
10分鐘

血海　調血、袪風、除濕

定位▶ 屈膝，位於大腿內側，髕底內側端上 2 寸，當股四頭肌內側頭的隆起處。

拔罐▶ 選擇大小適中的氣罐，用拔罐器將氣罐吸拔在血海穴上。對側以同樣的手法操作。

留罐
10 分鐘

太溪　滋陰益腎、壯陽強腰

定位▶ 位於足內側，內踝後方，當內踝尖與跟腱之間的凹陷處。

拔罐▶ 選擇大小適中的氣罐，用拔罐器將氣罐吸拔在太溪穴上。對側以同樣的手法操作。

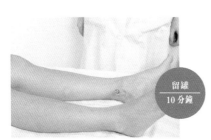

留罐
10 分鐘

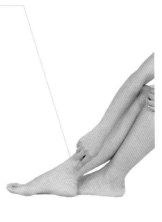

小腿抽筋

抽筋又稱肌肉痙攣，是肌肉自發性的強直性收縮現象。小腿肌肉痙攣最為常見，由腓腸肌痙攣引起，發作時會有痠脹或劇烈的疼痛。外界環境的寒冷刺激、出汗過多、疲勞過度、睡眠不足、缺鈣、睡眠姿勢不佳都會引起小腿肌肉痙攣。預防腿腳抽筋要注意保暖，調整好睡眠姿勢，經常鍛煉，適當補鈣。

特效穴位 1.腎俞 2.委中 3.承山
另外再加上拔罐三陰交（見051頁）、命門（見118頁）、太溪（見149頁）效果更佳。

腎俞 調腎氣、強腰脊

定位▶ 位於腰部，當第二腰椎棘突下，旁開1.5寸。

拔罐▶ 用止血鉗夾住蘸有酒精的棉球，點燃棉球後伸入罐內旋轉一圈馬上抽出，再迅速將火罐扣在腎俞穴上。

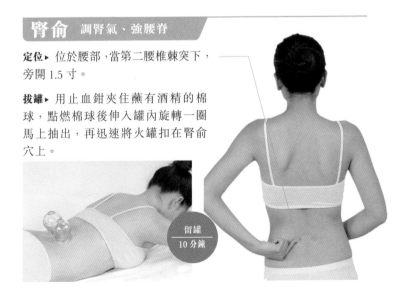

留罐
10分鐘

委中　舒筋活絡、祛除風濕

定位▸ 位於膕橫紋中點，當股二頭肌腱與半腱肌肌腱的中間。

拔罐▸ 用止血鉗夾住蘸有酒精的棉球，點燃棉球後伸入罐內旋轉一圈馬上抽出，再迅速將火罐扣在委中穴上。

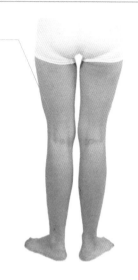

留罐
10分鐘

承山　理氣止痛、舒筋活絡

定位▸ 位於小腿後面正中，當伸直小腿或足跟上提時，腓腸肌肌腹下出現的尖角凹陷處。

拔罐▸ 用止血鉗夾住蘸有酒精的棉球，點燃棉球後伸入罐內旋轉一圈馬上抽出，再迅速將火罐扣在承山穴上。

留罐
10分鐘

腰椎間盤突出

腰椎間盤突出是指由於腰椎間盤退行性改變後彈性下降而膨出椎間盤，纖維環破裂髓核突出，壓迫神經根、脊髓而引起的以腰腿痛為主的臨床特徵。主要臨床症狀有：腰痛，可伴有臀部、下肢放射狀疼痛，嚴重者會出現大、小便障礙，會陰和肛周異常等。中醫認為主要因肝腎虧損，外感風寒濕邪等所致。

特效穴位　1. 腎俞　2. 大腸俞　3. 委中
另外再加上拔罐次髎（見 129 頁）、承山（見 148 頁）、陽陵泉（見 158 頁）效果更佳。

腎俞　調腎氣、強腰脊

定位▸ 位於腰部，當第二腰椎棘突下，旁開 1.5 寸。

拔罐▸ 用止血鉗夾住蘸有酒精的棉球，點燃棉球後伸入罐內旋轉一圈馬上抽出，再迅速將火罐扣在腎俞穴上。

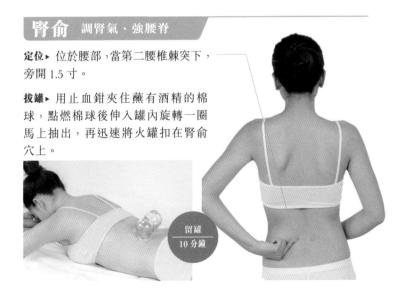

留罐
10分鐘

大腸俞　理氣降逆、強健腰腎

定位▸ 位於腰部,當第四腰椎棘突下,旁開 1.5 寸。

拔罐▸ 用止血鉗夾住蘸有酒精的棉球,點燃棉球後伸入罐內旋轉一圈馬上抽出,再迅速將火罐扣在大腸俞穴上。

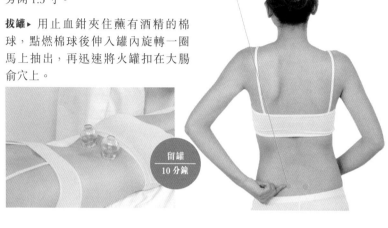

留罐
10 分鐘

委中　舒筋活絡、祛除風濕

定位▸ 位於膕橫紋中點,當股二頭肌腱與半腱肌肌腱的中間。

拔罐▸ 用止血鉗夾住蘸有酒精的棉球,點燃棉球後伸入罐內旋轉一圈馬上抽出,再迅速將火罐扣在委中穴上。

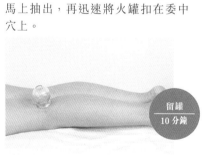

留罐
10 分鐘

腰痠背痛

腰痠背痛是指脊柱骨和關節及其周圍軟組織等病損的一種症狀，常用以形容勞累過度。日間勞累加重，休息後可減輕，日積月累，可使肌纖維變性，甚而小量撕裂，形成疤痕或纖維索條或黏連，遺留長期慢性腰背痛。中醫認為本病因感受寒濕、濕熱、氣滯血瘀、腎虧體虛或跌仆外傷所致。

特效穴位 1.腎俞 2.大腸俞 3.委中

腎俞　益腎助陽、強腰利水

定位▸ 位於腰部，當第二腰椎棘突下，旁開 1.5 寸。

拔罐▸ 用止血鉗夾住蘸有酒精的棉球，點燃棉球後伸入罐內旋轉一圈馬上抽出，再迅速將火罐扣在腎俞穴上。

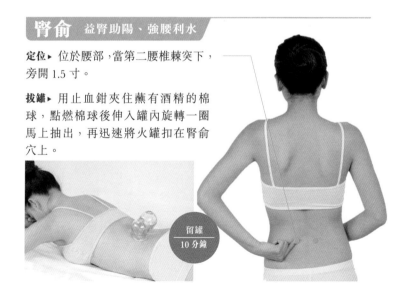

留罐
10分鐘

大腸俞　理氣降逆、強健腰腎

定位▶ 位於腰部，當第四腰椎棘突下，旁開 1.5 寸。

拔罐▶ 用止血鉗夾住蘸有酒精的棉球，點燃棉球後伸入罐內旋轉一圈馬上抽出，再迅速將火罐扣在大腸俞穴上。

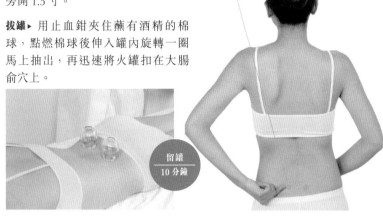

留罐
10 分鐘

委中　舒筋活絡、袪除風濕

定位▶ 位於膕橫紋中點，當股二頭肌腱與半腱肌肌腱的中間。

拔罐▶ 選擇大小適中的氣罐，用拔罐器將兩個氣罐吸拔在兩側委中穴上，注意吸附力宜稍大，以免氣罐中途脫落。

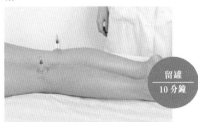

留罐
10 分鐘

腰肌勞損

腰肌勞損是指無明顯外傷引起的腰部疼痛。本病以兩側腰部、椎旁及骶嵴上疼痛較為明顯。其特點是晨起時疼痛劇烈，活動數分鐘或半小時後有所緩解，但至傍晚時有可能因活動過多而造成疼痛復現，休息後又好轉。本病有明確的誘發因素，如體力勞動、體育鍛煉、過勞、受潮及受涼等。

特效穴位　1. 腎俞　2. 腰眼　3. 關元俞

腎俞　益腎助陽、強腰利水

定位▸ 位於腰部，當第二腰椎棘突下，旁開 1.5 寸。

拔罐▸ 用止血鉗夾住蘸有酒精的棉球，點燃棉球後伸入罐內旋轉一圈馬上抽出，再迅速將火罐扣在腎俞穴上。

留罐
10分鐘

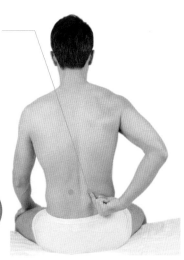

腰眼　強腰健腎

定位▶ 位於腰部，當第四腰椎棘突下，旁開約 3.5 寸凹陷中。

拔罐▶ 選擇大小適中的氣罐，用拔罐器將氣罐吸拔在腰眼穴上。

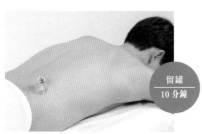

留罐
10 分鐘

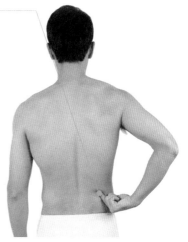

關元俞　溫腎壯陽、培補元氣

定位▶ 位於腰部，當第五腰椎棘突下，旁開 1.5 寸。

拔罐▶ 用止血鉗夾住蘸有酒精的棉球，點燃棉球後伸入罐內旋轉一圈馬上抽出，再迅速將火罐扣在關元俞穴上。

留罐
10 分鐘

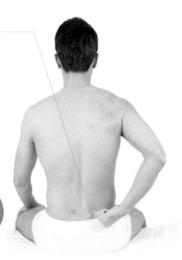

坐骨神經痛

坐骨神經痛指坐骨神經病變，沿坐骨神經通路即腰、臀部、大腿後、小腿後外側和足外側發生的疼痛症狀群，呈燒灼樣或刀刺樣疼痛，夜間痛感加重。典型表現為一側腰部、臀部疼痛，並向大腿後側、小腿後外側延展。咳嗽、活動下肢、彎腰、排便時疼痛加重。日久，患側下肢會出現肌肉萎縮，或出現跛行。

特效穴位 1. 陽陵泉　2. 懸鐘　3. 阿是穴

陽陵泉 舒筋活絡、強健腰膝

定位▶ 位於小腿外側，當腓骨頭前下方凹陷處。

拔罐▶ 選擇大小適中的氣罐，用拔罐器將氣罐吸拔在陽陵泉穴上。對側以同樣的手法操作。

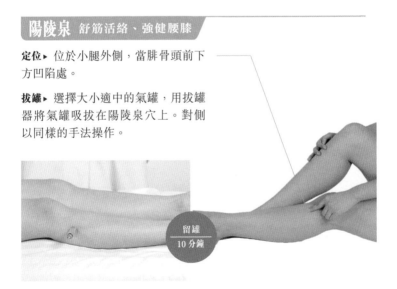

留罐
10分鐘

懸鐘　祛風濕、通經絡

定位▶ 位於小腿外側部，外踝尖上 3 寸，腓骨前緣凹陷處。

拔罐▶ 選擇大小適中的氣罐，用拔罐器將氣罐吸拔在懸鐘穴上。對側以同樣的手法操作。

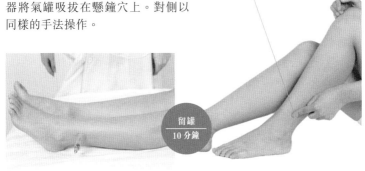

留罐
10分鐘

阿是穴　坐骨神經痛的特效穴

定位▶ 多位於病變的附近，也可在與其距離較遠的部位，沒有固定的位置和名稱。

拔罐▶ 選擇大小適中的氣罐，用拔罐器將氣罐吸拔在阿是穴上。

留罐
10分鐘

風濕性關節炎

風濕性關節炎是一種急性或慢性結締組織性炎症。多以急性發熱及關節疼痛起病，好發於膝、踝、肩、肘、腕等大關節部位，以病變局部呈現紅、腫、灼熱，肌肉游走性痠楚、疼痛為特徵。疼痛游走不定，可由一個關節轉移到另一個關節，部份病人也出現幾個關節同時發病，但不會遺留後遺症，卻會經常反覆發作。

特效穴位　1. 膈俞　2. 氣海　3. 手三里
另外再加上拔罐合谷（見 023 頁）、足三里（見 031 頁）、血海（見 149 頁）效果更佳。

膈俞　養血和營、活血通脈

定位▶ 位於背部，當第七胸椎棘突下，旁開 1.5 寸。

拔罐▶ 用止血鉗夾住蘸有酒精的棉球，點燃棉球後伸入罐內旋轉一圈馬上抽出，再迅速將火罐扣在膈俞穴上。

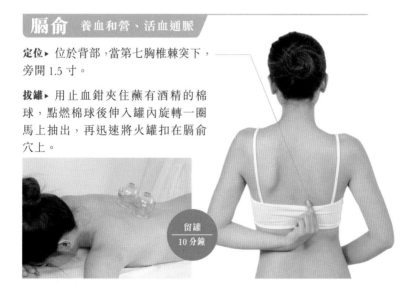

留罐
10 分鐘

氣海　益氣助陽、調經固經

定位▶ 位於下腹部，前正中線上，當臍中下 1.5 寸。

拔罐▶ 選擇大小適中的氣罐，用拔罐器將氣罐吸拔在氣海穴上，注意吸附力不宜過大，以免產生疼痛感。

留罐
10 分鐘

手三里　調氣血、疏經絡

定位▶ 位於前臂背面橈側，當陽溪與曲池的連線上，肘橫紋下 2 寸。

拔罐▶ 選擇大小適中的氣罐，用同樣的方法將氣罐吸拔在手三里穴上。對側以同樣的手法操作。

留罐
10 分鐘

網球肘

網球肘又稱肱骨外上髁炎，是指手肘外側肌腱疼痛發炎，多見於泥瓦工、鉗工、木工、網球運動員等從事單純臂力收縮運動工作的人群。本病發病慢，其主要臨床表現有肘關節外側部疼痛、手臂無力、手臂痠脹不適。在進行握物、擰毛巾、端水瓶等動作時，疼痛會加重，休息時無明顯症狀。部份患者在陰雨天疼痛加重。

特效穴位 1. 曲池　2. 尺澤　3. 手三里
另外再加上拔罐合谷（見023頁）、外關（見037頁）效果更佳。

曲池　清熱和營、降逆活絡

定位▸ 位於肘橫紋外側端，屈肘，當尺澤與肱骨外上髁的連線中點。

拔罐▸ 選擇大小適中的氣罐，用拔罐器將氣罐吸拔在曲池穴上。對側以同樣的手法操作。

留罐
10分鐘

尺澤 通絡止痛

定位▶ 位於肘橫紋中，肱二頭肌腱橈側凹陷處。

拔罐▶ 選擇大小適中的氣罐，用拔罐器將氣罐吸拔在尺澤穴上。對側以同樣的手法操作。

留罐
10分鐘

手三里 調氣血、疏經絡

定位▶ 位於前臂背面橈側，當陽溪與曲池的連線上，肘橫紋下 2 寸。

拔罐▶ 選擇大小適中的氣罐，用拔罐器將氣罐吸拔在手三里穴上。對側以同樣的手法操作。

留罐
10分鐘

肌肉萎縮

肌肉萎縮是指橫紋肌營養障礙，肌肉纖維變細甚至消失等導致的肌肉體積縮小病症。肌肉營養狀況不佳，除肌肉組織本身的萎縮病理變化外，更與神經系統有密切關係。肌肉萎縮損害患者的肌肉纖維，會使患者出現肌源性萎縮、勞動能力下降、功能障礙等，易併發壓瘡等，對患者生命構成極大的威脅。病情嚴重時應尋求醫生幫助。

特效穴位 1.肝俞 2.腎俞 3.腰陽關

肝俞 疏肝利膽、降火止痙

定位▶ 位於背部，當第九胸椎棘突下，旁開 1.5 寸。

拔罐▶ 用止血鉗夾住蘸有酒精的棉球，點燃棉球後伸入罐內旋轉一圈馬上抽出，再迅速將火罐扣在肝俞穴上。

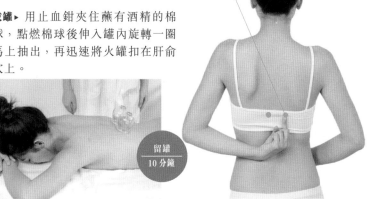

留罐
10分鐘

腎俞　益腎助陽、強健腰腎

定位▸ 位於腰部，當第二腰椎棘突下，旁開 1.5 寸。

拔罐▸ 用止血鉗夾住蘸有酒精的棉球，點燃棉球後伸入罐內旋轉一圈馬上抽出，再迅速將火罐扣在腎俞穴上。

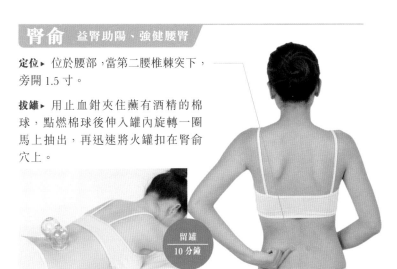

留罐
10 分鐘

腰陽關　除濕降濁、強健腰膝

定位▸ 位於腰部，後正中線上，第四腰椎棘突下凹陷中。

拔罐▸ 用止血鉗夾住蘸有酒精的棉球，點燃棉球後伸入罐內旋轉一圈馬上抽出，再迅速將火罐扣在腰陽關穴上。

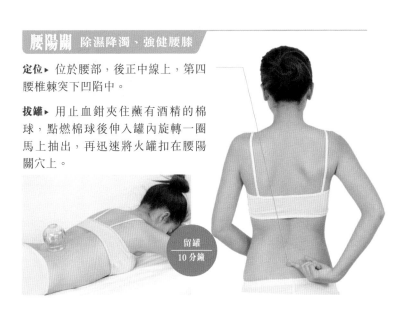

留罐
10 分鐘

強直性脊柱炎

　　強直性脊柱炎是一種慢性炎性疾病，主要侵犯骶髂關節、脊柱骨突、脊柱旁軟組織及外周關節，並可伴發關節外表現。患者早期無明顯不適症狀，病情進展期會出現腰、背、頸、臀、髖部疼痛以及關節腫痛，夜間痛或晨僵明顯，活動後緩解，足跟痛或其他肌腱附着點疼痛，嚴重者可發生脊柱畸形和關節強直。

特效穴位
　　1. 大椎　2. 夾脊　3. 委中
　　另外再加上拔罐足三里（見031頁）、太衝（見127頁）、血海（見149頁）效果更佳。

大椎　解表通陽、補虛寧神

定位▸ 位於後正中線上，第七頸椎棘突下凹陷中。

拔罐▸ 用止血鉗夾住蘸有酒精的棉球，點燃棉球後伸入罐內旋轉一圈馬上抽出，再迅速將火罐扣在大椎穴上。

> 留罐
> 10分鐘

夾脊　調節臟腑、舒經活絡

定位▸ 位於第一胸椎至第五腰椎，各椎棘突下旁開 0.5 寸。

拔罐▸ 將棉球點燃後，伸入罐內馬上抽出，迅速將火罐扣在第一胸椎上，沿着夾脊穴來回走罐，以皮膚潮紅為度。

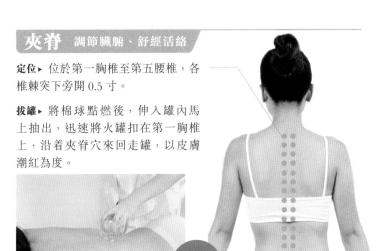

走罐
10 分鐘

委中　舒經活絡、祛除風濕

定位▸ 位於膕橫紋中點，當股二頭肌腱與半腱肌肌腱的中間。

拔罐▸ 選擇大小適中的氣罐，用拔罐器將兩個氣罐吸拔在兩側委中穴上，注意吸附力適中，以免產生疼痛感。

留罐
10 分鐘

⑧ 五官科疾病

瞼腺炎

瞼腺炎俗稱「麥粒腫」，分為兩型：外瞼腺炎和內瞼腺炎。外瞼腺炎是睫毛毛囊部的皮脂腺的急性化膿性炎症。發病初期，眼瞼局部有紅腫，有硬結，有明顯的脹痛、壓痛，數日後硬結逐漸軟化，在睫毛根部形成黃色的膿皰。內瞼腺炎是毛囊附近的瞼板腺的急性化膿性炎症。發病初期，眼瞼紅腫，疼痛感較重。

特效穴位　1. 大椎　2. 肺俞　3. 太陽
另外再加上拔罐脾俞（見 061 頁）效果更佳。

大椎　解表通陽、補虛寧神

定位▶ 位於後正中線上，第七頸椎棘突下凹陷中。

拔罐▶ 用止血鉗夾住蘸有酒精的棉球，點燃棉球後伸入罐內旋轉一圈馬上抽出，再迅速將火罐扣在大椎穴上。

留罐
10 分鐘

肺俞　調肺和營、補勞清熱

定位▶ 位於背部，當第三胸椎棘突下，旁開 1.5 寸。

拔罐▶ 用止血鉗夾住蘸有酒精的棉球，點燃棉球後伸入罐內旋轉一圈馬上抽出，再迅速將火罐扣在肺俞穴上。

留罐
10 分鐘

太陽　清肝明目、通絡止痛

定位▶ 位於顳部，當眉梢與目外眥之間，向後約一橫指的凹陷處。

拔罐▶ 選擇大小適中的氣罐，用拔罐器將氣罐吸拔在太陽穴上。另一側以同樣的手法操作。

留罐
15 分鐘

鼻炎

鼻炎是五官科最常見的疾病之一，一般可分為急性鼻炎及變應性鼻炎等。急性鼻炎俗稱「傷風」「感冒」，多為急性呼吸道感染的一個併發症，以鼻塞、流涕、打噴嚏為主要表現。變應性鼻炎又名過敏性鼻炎，是以鼻黏膜潮濕水腫、黏液腺增生、上皮下嗜痠細胞浸潤為主的一種異常反應。

特效穴位　1. 曲池　2. 膽俞　3. 大椎

曲池　清熱和營、解表通陽

定位▶ 位於肘橫紋外側端，屈肘，當尺澤與肱骨外上髁的連線中點。

拔罐▶ 選擇大小適中的氣罐，用拔罐器將氣罐吸拔在曲池穴上。對側以同樣的手法操作。

留罐
15分鐘

膽俞 清膽火、利濕熱

定位▶ 位於背部，當第十胸椎棘突下，旁開 1.5 寸。

拔罐▶ 用止血鉗夾住蘸有酒精的棉球，點燃棉球後伸入罐內旋轉一圈馬上抽出，再迅速將火罐扣在膽俞穴上。

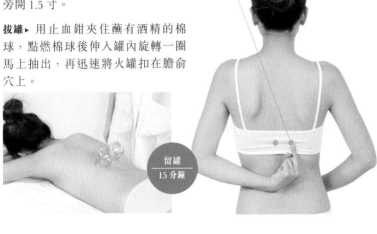

留罐
15 分鐘

大椎 祛風散寒、解表通陽

定位▶ 位於後正中線上，第七頸椎棘突下凹陷中。

拔罐▶ 用止血鉗夾住蘸有酒精的棉球，點燃棉球後伸入罐內旋轉一圈馬上抽出，再迅速將火罐扣在大椎穴上。

留罐
10 分鐘

咽喉腫痛

咽喉腫痛以咽喉紅腫疼痛，吞嚥不適為特徵，是口咽和喉咽部病變的主要表現，往往是由輕度感染或局部刺激引起的。臨床表現主要是咽喉紅腫疼痛，吞嚥不適為主要表現，多伴有發熱、咳嗽等上呼吸道感染症狀及食慾不振等全身症狀，在中醫學屬於「喉痹」範疇。咽喉腫痛是一種輕度的病症，雖然不是大病，也不能胡亂用藥，應注意保持口腔清潔，消除炎性病灶。

特效穴位 1. 大椎　2. 肺俞　3. 陰谷

大椎　祛風散寒、解表通陽

定位▶ 位於後正中線上，第七頸椎棘突下凹陷中。

拔罐▶ 用止血鉗夾住蘸有酒精的棉球，點燃棉球後伸入罐內旋轉一圈馬上抽出，再迅速將火罐扣在大椎穴上。

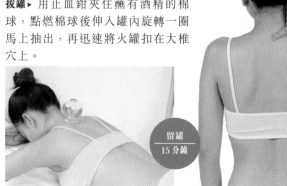

留罐
15分鐘

肺俞 調補肺氣、祛風止痛

定位▶ 位於背部，當第三胸椎棘突下，旁開 1.5 寸。

拔罐▶ 用止血鉗夾住蘸有酒精的棉球，點燃棉球後伸入罐內旋轉一圈馬上抽出，再迅速將火罐扣在肺俞穴上。

留罐
15 分鐘

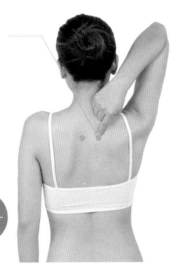

陰谷 益腎調經、理氣止痛

定位▶ 位於膕窩內側，屈膝時，當半腱肌肌腱與半膜肌肌腱之間。

拔罐▶ 選擇大小適中的氣罐，用拔罐器將氣罐吸拔在陰谷穴上。對側以同樣的手法操作。

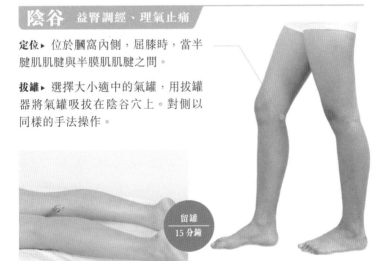

留罐
15 分鐘

慢性咽炎

　　慢性咽炎是一種病程發展緩慢的慢性炎症。患者自感咽部乾燥不適，有黏稠分泌物不易咳出，故常伴有噁心、咽痛、頭痛等症狀。本病常與鄰近器官或全身性疾病並存，如鼻竇炎、腺樣體殘留等，可使鼻咽部長期受到刺激以致發炎。另外，還與某些不明原因的疾病或症狀，如內分泌紊亂、風濕性關節炎等相關聯。

特效穴位　1. 大椎　2. 尺澤　3. 合谷
另外再加上拔罐肺俞（見 026 頁）效果更佳。

大椎　祛風散寒、清熱解表

定位▶ 位於後正中線上，第七頸椎棘突下凹陷中。

拔罐▶ 用止血鉗夾住蘸有酒精的棉球，點燃棉球後伸入罐內旋轉一圈馬上抽出，再迅速將火罐扣在大椎穴上。

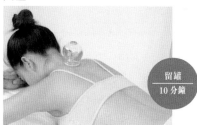

留罐
10 分鐘

尺澤　清肺熱、平咳喘

定位▸ 位於肘橫紋中，肱二頭肌腱橈側凹陷處。

拔罐▸ 選擇大小適中的氣罐，用拔罐器將氣罐吸拔在尺澤穴上。對側以同樣的手法操作。

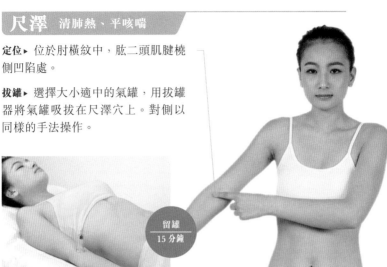

留罐
15分鐘

合谷　鎮靜止痛、通經活絡

定位▸ 位於手背，第一、二掌骨間，當第二掌骨橈側的中點處。

拔罐▸ 選擇大小適中的氣罐，用拔罐器將氣罐吸拔在合谷穴上。對側以同樣的手法操作。

留罐
15分鐘

鼻出血

鼻出血是常見的臨床症狀之一，鼻腔黏膜中的微細血管分佈很密，很敏感且脆弱，容易破裂引致出血。引起偶爾流鼻血的原因有上火、脾氣暴躁、心情焦慮，或被異物撞擊、人為毆打等原因。鼻出血也可由鼻腔本身疾病引起，也可能是全身性疾病誘發。鼻出血的患者平常要多食水果、蔬菜類等容易消化的食物，注意做好鼻部保護措施。

特效穴位   1. 太陽   2. 天樞   3. 內庭
另外再加上拔罐大椎（見 024 頁）、三陰交（見051 頁）、太衝（見 127 頁）效果更佳。

太陽   清肝明目、通絡止痛

定位▶ 位於顳部，當眉梢與目外眥之間，向後約一橫指的凹陷處。

拔罐▶ 選擇大小適中的氣罐，用拔罐器將氣罐吸拔在太陽穴上。另一側以同樣的手法操作。

留罐
15 分鐘

天樞　理氣化滯、和營調經

定位▸ 位於腹中部，距臍中2寸。

拔罐▸ 選擇大小適中的氣罐，用拔罐器將兩個氣罐吸拔在兩側天樞穴上，注意吸附力可適當大些，以免氣罐中途脫落。

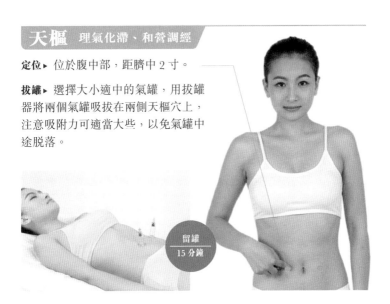

留罐
15分鐘

內庭　清熱瀉火、理氣止痛

定位▸ 位於足背，當二、三趾間，趾蹼緣後方赤白肉際處。

拔罐▸ 選擇大小適中的氣罐，用拔罐器將氣罐吸拔在內庭穴上。對側以同樣的手法操作。

留罐
15分鐘

急性扁桃體炎

扁桃體位於扁桃體隱窩內，是人體呼吸道的第一道免疫防線。但它的免疫能力只能達到一定的效果，當吸入的病原微生物數量較多或吸入毒力較強的病原菌時，就會有相應的症狀，如出現扁桃體紅腫、疼痛、化膿，高熱畏寒，伴有頭痛、咽痛、發熱等。若治療不及時會轉為慢性扁桃體炎，嚴重者還會有腎炎等併發症。

特效穴位 1. 大椎　2. 天突　3. 曲池
另外再加上拔罐合谷（見 023 頁）、內關（見 033 頁）、肺俞（見 026 頁）效果更佳。

大椎　祛風散寒、解表通陽

定位▶ 位於後正中線上，第七頸椎棘突下凹陷中。

拔罐▶ 用止血鉗夾住蘸有酒精的棉球，點燃棉球後伸入罐內旋轉一圈馬上抽出，再迅速將火罐扣在大椎穴上。

留罐
15分鐘

天突　理氣平喘

定位▶ 位於頸部，前正中線上，胸骨上窩中央。

拔罐▶ 選擇大小適中的氣罐，用拔罐器將氣罐吸拔在天突穴上，注意吸附力宜稍小，以免壓迫氣管。

留罐
15 分鐘

曲池　清熱和營、降逆活絡

定位▶ 位於肘橫紋外側端，屈肘，當尺澤與肱骨外上髁的連線中點。

拔罐▶ 選擇大小適中的氣罐，用拔罐器將氣罐吸拔在曲池穴上。對側以同樣的手法操作。

留罐
15 分鐘

耳鳴耳聾

　　耳鳴耳聾在臨床上常同時見到，而且治療方法大致相同，故合併論述。耳鳴是以耳內鳴響為主要表現。耳聾是以聽力減退或聽覺喪失為主要表現。中醫認為，本病多因暴怒、驚恐、肝膽風火上逆，以致少陽之氣閉阻不通所致，或因外感風邪侵襲，壅竭清竅，或因腎氣虛弱，精血不能上達於耳而成。

特效穴位　1. 外關　2. 合谷　3. 大椎
另外再加上拔罐腎俞（見 061 頁）、命門（見 118 頁）、太沖（見 127 頁）效果更佳。

外關　祛火通絡

定位▶ 位於前臂背側，當陽池與肘尖的連線上，腕背橫紋上 2 寸，尺骨與橈骨之間。

拔罐▶ 選擇大小適中的氣罐，用拔罐器將氣罐吸拔在外關穴上。對側以同樣的手法操作。

留罐
15 分鐘

合谷 鎮靜止痛、通經活經

定位▶ 位於手背，第一、第二掌骨間，當第二掌骨橈側的中點處。

拔罐▶ 選擇大小適中的氣罐，用拔罐器將氣罐吸拔在合谷穴上。對側以同樣的手法操作。

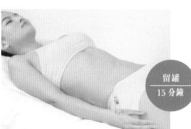

留罐
15分鐘

大椎 解表通陽、補虛寧神

定位▶ 位於後正中線上，第七頸椎棘突下凹陷中。

拔罐▶ 用止血鉗夾住蘸有酒精的棉球，點燃棉球後伸入罐內旋轉一圈馬上抽出，再迅速將火罐扣在大椎穴上。

留罐
15分鐘

牙痛

牙痛又稱齒痛，是一種常見的口腔科疾病。其主要原因是牙齒本身、牙周組織及頜骨的疾病等。臨床主要表現為牙齒疼痛、齲齒、牙齦腫脹、齦肉萎縮、牙齒鬆動、牙齦出血等，遇冷、熱、痠、甜等刺激，則疼痛加重。中醫認為牙痛是由於外感風邪、胃火熾盛、腎虛火旺、蟲蝕牙齒等原因所致。

特效穴位　1. 大椎　2. 胃俞　3. 太陽

大椎　祛風散寒、清熱解表

定位▶ 位於後正中線上，第七頸椎棘突下凹陷中。

拔罐▶ 用止血鉗夾住蘸有酒精的棉球，點燃棉球後伸入罐內旋轉一圈馬上抽出，再迅速將火罐扣在大椎穴上。

留罐
15分鐘

胃俞 和胃健脾、理中降逆

定位▶ 位於背部，當第十二胸椎棘突下，旁開 1.5 寸。

拔罐▶ 用止血鉗夾住蘸有酒精的棉球，點燃棉球後伸入罐內旋轉一圈馬上抽出，再迅速將火罐扣在胃俞穴上。

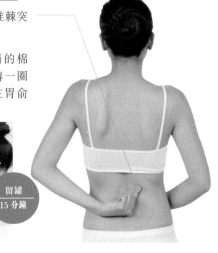

留罐
15 分鐘

太陽 祛風開竅、通絡止痛

定位▶ 位於顳部，當眉梢與目外眥之間，向後約一橫指的凹陷處。

拔罐▶ 選擇大小適中的氣罐，用拔罐器將氣罐吸拔在太陽穴上。另一側以同樣的手法操作。

留罐
15 分鐘

青光眼

青光眼是指眼內壓間斷或持續性升高的一種常見疑難眼病。該病發病迅速、危害性大、隨時可導致失明。持續的眼高壓可以給眼球各部份組織和視功能帶來損害，導致出現視神經萎縮、視野縮小、視力減退等現象。按照病因可以分為先天性青光眼、原發性青光眼、繼發性青光眼及混合性青光眼。

特效穴位 1. 大椎　2. 心俞　3. 膽俞

大椎 解表通陽、補虛寧神

定位▶ 位於後正中線上，第七頸椎棘突下凹陷中。

拔罐▶ 用止血鉗夾住蘸有酒精的棉球，點燃棉球後伸入罐內旋轉一圈馬上抽出，再迅速將火罐扣在大椎穴上。

留罐
15分鐘

心俞 寬胸理氣、通絡安神

定位▶ 位於背部,當第五胸椎棘突下,旁開 1.5 寸。

拔罐▶ 用止血鉗夾住蘸有酒精的棉球,點燃棉球後伸入罐內旋轉一圈馬上抽出,再迅速將火罐扣在心俞穴上。

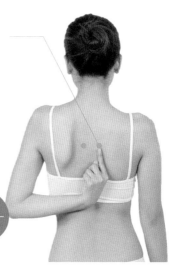

留罐
15 分鐘

膽俞 疏肝利膽、清熱明目

定位▶ 位於背部,當第十胸椎棘突下,旁開 1.5 寸。

拔罐▶ 用止血鉗夾住蘸有酒精的棉球,點燃棉球後伸入罐內旋轉一圈馬上抽出,再迅速將火罐扣在膽俞穴上。

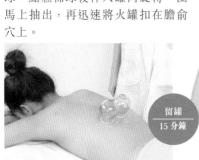

留罐
15 分鐘

口腔潰瘍

口腔潰瘍又稱「口瘡」，是因不講衛生、飲食不當，或身體原因造成的舌尖或口腔黏膜發炎、潰爛。常見症狀有：在口腔內的唇、舌、頰黏膜、齒齦、硬齶等處出現白色或淡黃色大小不等的潰爛點，常伴有煩躁不安、身體消瘦、發熱等症狀。患了口瘡，要注意口腔衛生，多喝水。

特效穴位　1. 大椎　2. 曲池　3. 足三里
另外加上拔罐心俞（見 185 頁）效果更佳。

大椎　解表通陽、補虛寧神

定位▶ 位於後正中線上，第七頸椎棘突下凹陷中。

拔罐▶ 用止血鉗夾住蘸有酒精的棉球，點燃棉球後伸入罐內旋轉一圈馬上抽出，再迅速將火罐扣在大椎穴上。

留罐
15分鐘

曲池 清熱和營、降逆活絡

定位▶ 位於肘橫紋外側端，屈肘，當尺澤與肱骨外上髁連線中點。

拔罐▶ 選擇大小適中的氣罐，用拔罐器將氣罐吸拔在曲池穴上。對側以同樣的手法操作。

留罐
15 分鐘

足三里 扶正培元、通經活絡

定位▶ 位於小腿前外側，當犢鼻下 3 寸，距脛骨前緣一橫指（中指）。

拔罐▶ 選擇大小適中的氣罐，用拔罐器將氣罐吸拔在足三里穴上。對側以同樣的手法操作。

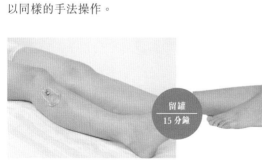

留罐
15 分鐘

梅尼埃病

梅尼埃病表現為陣發性眩暈、耳聾、耳鳴及耳內悶脹感，持續數分鐘或數週，突然消失或逐漸減輕，常伴噁心、嘔吐、面色蒼白、出冷汗、血壓下降等自主神經反射症狀。其發病因素主要是自主神經功能紊亂、代謝與內分泌功能障礙、內淋巴吸收障礙及遺傳因素等。

特效穴位　1. 中脘　2. 氣海　3. 豐隆　4. 肝俞　5. 脾俞
另外再加上拔罐腎俞（見 061 頁）效果更佳。

中脘　健脾化濕、理氣降逆

定位▶ 位於上腹部，前正中線上，當臍中上 4 寸。

拔罐▶ 用止血鉗夾住蘸有酒精的棉球，點燃棉球後伸入罐內旋轉一圈馬上抽出，再迅速將火罐扣在中脘穴上。

留罐
15 分鐘

氣海　益氣助陽、調經固經

定位▶ 位於下腹部，前正中線上，當臍中下 1.5 寸。

拔罐▶ 用止血鉗夾住蘸有酒精的棉球，點燃棉球後伸入罐內旋轉一圈馬上抽出，再迅速將火罐扣在氣海穴上。

留罐
15 分鐘

豐隆　健脾祛濕、化痰

定位▶ 位於小腿前外側，當外踝尖上 8 寸，條口穴外，距脛骨前緣二橫指（中指）。

拔罐▶ 選擇大小適中的氣罐，用拔罐器將氣罐吸拔在豐隆穴上。對側以同樣的手法操作。

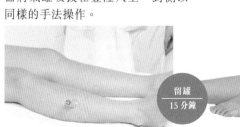

留罐
15 分鐘

肝俞　疏肝利膽、降火止痙

定位▶ 位於背部，當第九胸椎棘突下，旁開 1.5 寸。

拔罐▶ 用止血鉗夾住蘸有酒精的棉球，點燃棉球後伸入罐內旋轉一圈馬上抽出，再迅速將火罐扣在肝俞穴上。

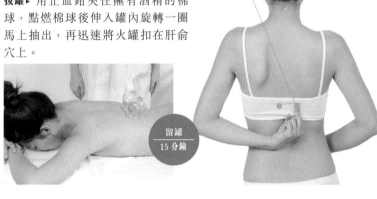

留罐
15 分鐘

脾俞　健脾和胃、利濕升清

定位▶ 位於背部，當第十一胸椎棘突下，旁開 1.5 寸。

拔罐▶ 用止血鉗夾住蘸有酒精的棉球，點燃棉球後伸入罐內旋轉一圈馬上抽出，再迅速將火罐扣在脾俞穴上。

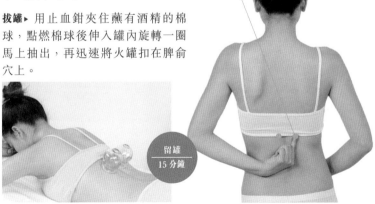

留罐
15 分鐘

🔮 皮膚科疾病

濕疹

濕疹是一種常見的由多種內外因素引起的表皮及真皮淺層的炎症性易復發的變態反應性皮膚病，好發於頭面、四肢屈側及會陰等部位，常呈泛發或對稱性分佈。其特點為患者自覺劇烈瘙癢，皮損多形性，呈對稱分佈，有滲出傾向，易反覆發作。本病是一種炎症反應，多因過敏所致。

特效穴位 　1. 脾俞　2. 足三里　3. 陰陵泉　4. 三陰交　5. 豐隆
　　　　　　另外再加上拔罐陽陵泉（見 158 頁）效果更佳。

脾俞　健脾和胃、利濕升清

定位▶ 位於背部，當第十一胸椎棘突下，旁開 1.5 寸。

拔罐▶ 用止血鉗夾住蘸有酒精的棉球，點燃棉球後伸入罐內旋轉一圈馬上抽出，再迅速將火罐扣在脾俞穴上。

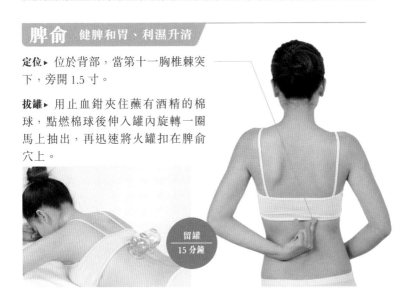

留罐
15 分鐘

足三里 生發胃氣、燥化脾濕

定位▶ 位於小腿前外側，當犢鼻下 3 寸，距脛骨前緣一橫指（中指）。

拔罐▶ 選擇大小適中的氣罐，用拔罐器將氣罐吸拔在足三里穴上。對側以同樣的手法操作。

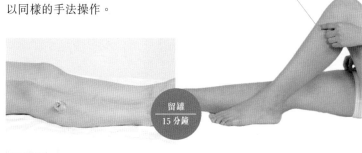

留罐
15 分鐘

陰陵泉 益腎利濕、行氣消腫

定位▶ 位於小腿內側，當脛骨內側髁後下方凹陷處。

拔罐▶ 選擇大小適中的氣罐，用拔罐器將氣罐吸拔在陰陵泉穴上。對側以同樣的手法操作。

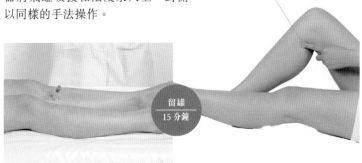

留罐
15 分鐘

三陰交 健脾利濕、補益肝腎

定位▸ 位於小腿內側，當足內踝尖上 3 寸，脛骨內側緣後方。

拔罐▸ 選擇大小適中的氣罐，用拔罐器將氣罐吸拔在三陰交穴上。對側以同樣的手法操作。

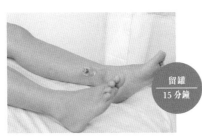

留罐
15 分鐘

豐隆 健脾祛濕、化痰

定位▸ 位於小腿前外側，當外踝尖上 8 寸，條口穴外，距脛骨前緣二橫指（中指）。

拔罐▸ 選擇大小適中的氣罐，用拔罐器將氣罐吸拔在豐隆穴上。對側以同樣的手法操作。

留罐
15 分鐘

凍瘡

凍瘡是指長期暴露於寒冷環境中所引起的局限性紅斑炎症性皮膚損傷。本病為冬季常見病，患者多具有易發凍瘡體質，到春季轉暖後自癒，但轉年冬季易復發。患者自覺患病部位有癢感、燒灼感、腫脹感，癢感受熱後加劇，有糜爛或潰瘍者會出現疼痛。

特效穴位 1.脾俞 2.命門 3.足三里
另外再加上拔罐腎俞（見061頁）效果更佳。

脾俞 健脾和胃、利濕升清

定位▶ 位於背部，當第十一胸椎棘突下，旁開 1.5 寸。

拔罐▶ 用止血鉗夾住蘸有酒精的棉球，點燃棉球後伸入罐內旋轉一圈馬上抽出，再迅速將火罐扣在脾俞穴上。

留罐
15分鐘

命門 補腎壯陽

定位▶ 位於腰部，當後正中線上，第二腰椎棘突下凹陷中。

拔罐▶ 用止血鉗夾住蘸有酒精的棉球，點燃棉球後伸入罐內旋轉一圈馬上抽出，再迅速將火罐扣在命門穴上。

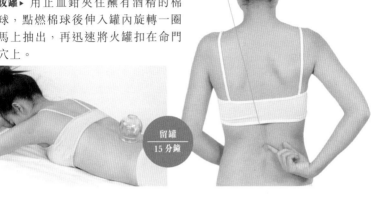

留罐
15分鐘

足三里 生發胃氣、燥化脾濕

定位▶ 位於小腿前外側，當犢鼻下3寸，距脛骨前緣一橫指（中指）。

拔罐▶ 選擇大小適中的氣罐，用拔罐器將氣罐吸拔在足三里穴上。對側以同樣的手法操作。

留罐
15分鐘

痤瘡

　　痤瘡是美容皮膚科最常見的病症，又叫青春痘、粉刺、毛囊炎，多發於面部。痤瘡的發生原因較複雜，與多種因素有關，如飲食結構不合理、精神緊張、內臟功能紊亂、生活或工作環境不佳、缺乏某些微量元素、遺傳因素、大便秘結等。但主要誘因是青春期發育成熟，體內雄激素水平升高，即形成粉刺。

特效穴位 1.大椎 2.身柱 3.肺俞

大椎 解表通陽、補虛寧神

定位▶ 位於後正中線上，第七頸椎棘突下凹陷中。

拔罐▶ 用止血鉗夾住蘸有酒精的棉球，點燃棉球後伸入罐內旋轉一圈馬上抽出，再迅速將火罐扣在大椎穴上。

留罐
15分鐘

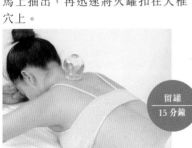

身柱　宣肺瀉熱、清心寧神

定位▶ 位於背部,當後正中線上,第三胸椎棘突下凹陷中。

拔罐▶ 用止血鉗夾住蘸有酒精的棉球,點燃棉球後伸入罐內旋轉一圈馬上抽出,再迅速將火罐扣在身柱穴上。

留罐
15 分鐘

肺俞　調補肺氣、祛風止痛

定位▶ 位於背部,當第三胸椎棘突下,旁開 1.5 寸。

拔罐▶ 用止血鉗夾住蘸有酒精的棉球,點燃棉球後伸入罐內旋轉一圈馬上抽出,再迅速將火罐扣在肺俞穴上。

留罐
15 分鐘

黃褐斑

黃褐斑，又稱「蝴蝶斑」「肝斑」，是有黃褐色色素沉着性的皮膚病。內分泌紊亂是本病發生的原因，與妊娠、月經不調、痛經、失眠、慢性肝病及日曬等有一定的關係。臨床主要表現為顏面中部有對稱性蝴蝶狀的黃褐色斑片，邊緣清楚。中醫學認為，本病由肝氣鬱結，心氣瘀滯或腎陽虛寒等所致。

特效穴位　1. 大椎　2. 肺俞　3. 至陽

大椎　解表通陽、補虛寧神

定位▶ 位於後正中線上，第七頸椎棘突下凹陷中。

拔罐▶ 用止血鉗夾住蘸有酒精的棉球，點燃棉球後伸入罐內旋轉一圈馬上抽出，再迅速將火罐扣在大椎穴上。

留罐
15 分鐘

肺俞 調補肺氣、祛風止痛

定位▸ 位於背部，當第三胸椎棘突下，旁開 1.5 寸。

拔罐▸ 用止血鉗夾住蘸有酒精的棉球，點燃棉球後伸入罐內旋轉一圈馬上抽出，再迅速將火罐扣在肺俞穴上。

留罐
15 分鐘

至陽 壯陽益氣、安和五臟

定位▸ 位於背部，當後正中線上，第七胸椎棘突下凹陷中。

拔罐▸ 用止血鉗夾住蘸有酒精的棉球，點燃棉球後伸入罐內旋轉一圈馬上抽出，再迅速將火罐扣在至陽穴上。

留罐
15 分鐘

腳氣

腳氣俗稱「香港腳」，是一種常見的感染性皮膚病，主要由真菌感染引起，常見的主要致病菌是紅色毛癬菌，好發於足跖部和趾間，皮膚癬菌感染也可延及到足跟及足背。成人中 70% ～ 80% 的人有腳氣，其主要症狀是足跖部和腳趾間瘙癢、脫皮、起皰、真菌傳播等，甚至引起手癬。

特效穴位　1.陽陵泉　2.足三里　3.太沖

陽陵泉　疏肝解郁、強健腰膝

定位▸ 位於小腿外側，當腓骨小頭前下方凹陷處。

拔罐▸ 選擇大小適中的氣罐，用拔罐器將氣罐吸拔在陽陵泉穴上。對側以同樣的手法操作。

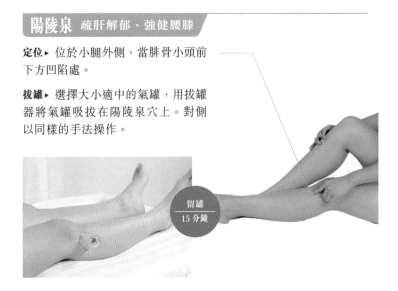

留罐
15 分鐘

足三里 扶正培元、通經活絡

定位▶ 位於小腿前外側，當犢鼻下 3 寸，距脛骨前緣一橫指（中指）。

拔罐▶ 選擇大小適中的氣罐，用拔罐器將氣罐吸拔在足三里穴上。對側以同樣的手法操作。

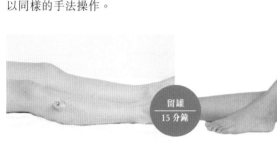

留罐
15 分鐘

太沖 疏肝養血、清利下焦

定位▶ 位於足背側，當足第一、二蹠骨結合部之前凹陷中。

拔罐▶ 選擇大小適中的氣罐，用拔罐器將氣罐吸拔在太衝穴上。對側以同樣的手法操作。

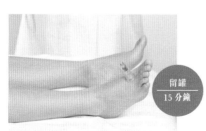

留罐
15 分鐘

玫瑰糠疹

玫瑰糠疹是一種病因不明的急性、炎症性、病程呈自限性的皮膚病。本病好發於軀幹和四肢近端，多呈大小不等，數目不定的玫瑰色斑片，其上有糠狀鱗屑，自覺瘙癢。有學者認為本病的發生與細菌、真菌或寄生蟲感染等有關，也有人認為與過敏因素有關。另據報道卡托普利等藥物也可引起玫瑰糠疹。

特效穴位　1.大椎　2.肩井　3.身柱

大椎　解表通陽、補虛寧神

定位▶ 位於後正中線上，第七頸椎棘突下凹陷中。

拔罐▶ 用止血鉗夾住蘸有酒精的棉球，點燃棉球後伸入罐內旋轉一圈馬上抽出，再迅速將火罐扣在大椎穴上。

留罐
15分鐘

肩井　祛風清熱、通經活絡

定位▶ 位於肩上，前直乳中，當大椎與肩峰端連線的中點上。

拔罐▶ 用拔罐器將氣罐吸附在肩井穴上，注意吸附力宜稍大，以免氣罐中途脫落。

留罐
15 分鐘

身柱　清肺散熱、清心寧神

定位▶ 位於背部，當後正中線上，第三胸椎棘突下凹陷中。

拔罐▶ 用止血鉗夾住蘸有酒精的棉球，點燃棉球後伸入罐內旋轉一圈馬上抽出，再迅速將火罐扣在身柱穴上。

留罐
15 分鐘

丹毒

丹毒是由鏈球菌引起的一種皮膚及皮下組織炎症。主要表現為境界清楚的局限性紅腫熱痛，多好發於顏面及下肢，嚴重影響形象和生活，患者可有頭痛、發熱等全身症狀。本病的發生常伴有皮膚黏膜的擦傷及其他細微不易發現的皮膚破損，可能由足癬、蟲咬等導致傷口感染所致。

特效穴位　1. 大椎　2. 委中　3. 曲池
另外再加上拔罐血海（見 149 頁）效果更佳。

大椎　祛風散寒、截瘧止痫

定位▸ 位於後正中線上，第七頸椎棘突下凹陷中。

拔罐▸ 用止血鉗夾住蘸有酒精的棉球，點燃棉球後伸入罐內旋轉一圈馬上抽出，再迅速將火罐扣在大椎穴上。

留罐
15 分鐘

委中 舒經活絡、涼血解毒

定位▶ 位於膕橫紋中點，當股二頭肌腱與半腱肌肌腱的中間。

拔罐▶ 用止血鉗夾住蘸有酒精的棉球，點燃棉球後伸入罐內旋轉一圈馬上抽出，再迅速將火罐扣在委中穴上。

留罐
15分鐘

曲池 清熱和營、降逆活絡

定位▶ 位於肘橫紋外側端，屈肘，當尺澤穴與肱骨外上髁連線中點。

拔罐▶ 選擇大小適中的氣罐，用拔罐器將氣罐吸拔在曲池穴上。對側以同樣的手法操作。

留罐
15分鐘

神經性皮炎

神經性皮炎是一種慢性皮膚神經官能症，也稱為慢性單純性苔蘚。其致病原因目前尚不十分清楚，一般認為與神經功能紊亂或過敏等有關。本病好發於身體摩擦部位，臨床上以病變局部奇癢，搔抓後呈丘疹狀，日久皮膚形成苔蘚化，皮紋變深，皮膚局部肥厚、乾燥為特徵。

特效穴位 1.大椎　2.身柱　3.肺俞

大椎 解表通陽、補虛寧神

定位▶ 位於後正中線上，第七頸椎棘突下凹陷中。

拔罐▶ 用止血鉗夾住蘸有酒精的棉球，點燃棉球後伸入罐內旋轉一圈馬上抽出，再迅速將火罐扣在大椎穴上。

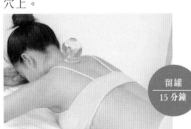

留罐
15分鐘

身柱　清肺散熱、清心寧神

定位▶ 位於背部，當後正中線上，第三胸椎棘突下凹陷中。

拔罐▶ 用止血鉗夾住蘸有酒精的棉球，點燃棉球後伸入罐內旋轉一圈馬上抽出，再迅速將火罐扣在身柱穴上。

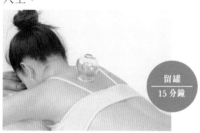

留罐
15 分鐘

肺俞　調補肺氣、祛風止痛

定位▶ 位於背部，當第三胸椎棘突下，旁開 1.5 寸。

拔罐▶ 用止血鉗夾住蘸有酒精的棉球，點燃棉球後伸入罐內旋轉一圈馬上抽出，再迅速將火罐扣在肺俞穴上。

留罐
15 分鐘

皮膚瘙癢

　　皮膚瘙癢是一種自覺皮膚瘙癢而無原發性損害的皮膚病。臨床上可分為全身性皮膚瘙癢和局限性皮膚瘙癢，後者多局限在肛門和外陰部。全身性皮膚瘙癢可由內分泌失調和糖尿病、肝腎疾病等慢性病所致，惡性腫瘤以及精神性因素也可造成皮膚瘙癢。另外，過度清潔皮膚造成皮膚脫脂乾燥，也可產生瘙癢。

特效穴位 1. 大椎　2. 肺俞　3. 血海
另外再加上拔罐脾俞（見 061 頁）效果更佳。

大椎　解表通陽、補虛寧神

定位▶ 位於後正中線上，第七頸椎棘突下凹陷中。

拔罐▶ 用止血鉗夾住蘸有酒精的棉球，點燃棉球後伸入罐內旋轉一圈馬上抽出，再迅速將火罐扣在大椎穴上。

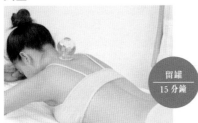

留罐
15 分鐘

肺俞 調補肺氣、祛風止痛

定位▶ 位於背部,當第三胸椎棘突下,旁開 1.5 寸。

拔罐▶ 用止血鉗夾住蘸有酒精的棉球,點燃棉球後伸入罐內旋轉一圈馬上抽出,再迅速將火罐扣在肺俞穴上。

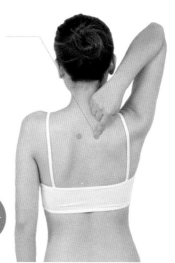

留罐
15 分鐘

血海 健脾化濕、調經統血

定位▶ 位於大腿內側,髕底內側端上 2 寸,當股四頭肌內側頭的隆起處。

拔罐▶ 選擇大小適中的氣罐,用拔罐器將氣罐吸拔在血海穴上。對側以同樣的手法操作。

留罐
15 分鐘

帶狀皰疹

帶狀皰疹由水痘由帶狀皰疹病毒所引起，以沿單側周圍神經分佈的簇集性小水皰為特徵，常伴有明顯的神經痛。發病前階段，常有低熱、乏力症狀，迅速將發疹部位有疼痛、燒灼感，持續 1～3 日，三叉神經帶狀皰疹可出現牙痛。本病春秋季的發病率較高，發病率隨年齡增大而呈顯著上升。

特效穴位　1. 大椎　2. 身柱　3. 靈台　4. 肝俞　5. 脾俞
另外再加上拔罐合谷（見 023 頁）效果更佳。

大椎　祛風散寒、解表通陽

定位▶ 位於後正中線上，第七頸椎棘突下凹陷中。

拔罐▶ 用止血鉗夾住蘸有酒精的棉球，點燃棉球後伸入罐內旋轉一圈馬上抽出，再迅速將火罐扣在大椎穴上。

留罐
15分鐘

身柱　清肺散熱、清心寧神

定位▶ 位於背部，當後正中線上，第三胸椎棘突下凹陷中。

拔罐▶ 用止血鉗夾住蘸有酒精的棉球，點燃棉球後伸入罐內旋轉一圈馬上抽出，再迅速將火罐扣在身柱穴上。

留罐
15 分鐘

靈台　清熱化濕、解毒

定位▶ 位於背部，當後正中線上，第六胸椎棘突下凹陷中。

拔罐▶ 用止血鉗夾住蘸有酒精的棉球，點燃棉球後伸入罐內旋轉一圈馬上抽出，再迅速將火罐扣在靈台穴上。

留罐
15 分鐘

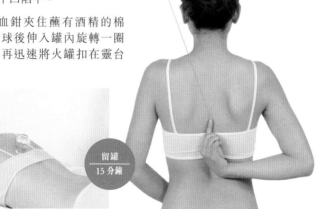

肝俞 　疏肝利膽、降火止痙

定位▶ 位於背部，當第九胸椎棘突下，旁開 1.5 寸。

拔罐▶ 用止血鉗夾住蘸有酒精的棉球，點燃棉球後伸入罐內旋轉一圈馬上抽出，再迅速將火罐扣在肝俞穴上。

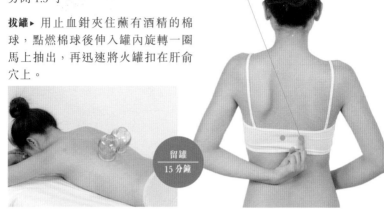

留罐
15 分鐘

脾俞 　健脾和胃、利濕升清

定位▶ 位於背部，當第十一胸椎棘突下，旁開 1.5 寸。

拔罐▶ 用止血鉗夾住蘸有酒精的棉球，點燃棉球後伸入罐內旋轉一圈馬上抽出，再迅速將火罐扣在脾俞穴上。

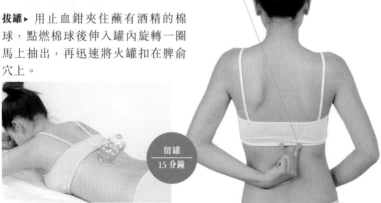

留罐
15 分鐘

第 3 章

拔罐養生，未病先防

人體天生有一個自然康復系統，當你生病時，人體可通過多種防禦功能對付各種致病因素的侵襲。自然綠色的療法已經逐漸成為替代藥物治療的主要保健方式，而拔罐療法正是一種綠色的健康自然療法，它無副作用，可以逐寒祛濕、疏通經絡、祛除瘀滯、行氣活血、消腫止痛、拔毒瀉熱，具有調整人體的陰陽平衡，解除疲勞、增強體質的功能，協助達到扶正祛邪、治癒疾病的目的。

健脾養胃

　　現代社會工作和生活節奏加快、壓力大，人們飲食不規律，常常暴飲暴食，導致各種胃部疾病的發作，而這些因素也會造成「脾虛」，出現胃脹痛、食慾差、便溏、疲倦乏力等症狀。很多人只是注意到了胃部的表現，其實脾胃都要「三分治七分養」。脾胃位於中焦，脾的作用是能運化水穀精微，也能運化水濕。研究表明：刺激人體穴位可以行氣活血，達到健脾養胃的效果。

特效穴位　　1. 脾俞　2. 中脘　3. 章門

脾俞　健脾和胃、利濕升清

定位▶ 位於背部，當第十一胸椎棘突下，旁開 1.5 寸。

拔罐▶ 用止血鉗夾住蘸有酒精的棉球，點燃棉球後伸入罐內旋轉一圈馬上抽出，再迅速將火罐扣在脾俞穴上。

留罐
10分鐘

中脘 健脾化濕、理氣和胃

定位▶ 位於上腹部，前正中線上，當臍中上 4 寸。

拔罐▶ 用止血鉗夾住蘸有酒精的棉球，點燃棉球後伸入罐內旋轉一圈馬上抽出，再迅速將火罐扣在中脘穴上。

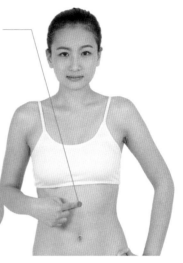

留罐
15 分鐘

章門 疏肝健脾、理氣散結

定位▶ 位於側腹部，當第十一肋游離端的下方。

拔罐▶ 選擇大小適中的氣罐，用拔罐器將氣罐吸拔在章門穴上。對側以同樣的手法操作。

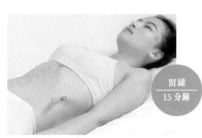

留罐
15 分鐘

養心安神

　　心煩意亂，睡眠質量差，稍有動靜就會驚醒，這些都是焦慮性失眠的常見症狀，也是亞健康的表現。焦慮、睡眠質量差以及精神恍惚等都與人的心態有着密切的聯繫，對工作和生活都會產生很嚴重的影響。研究表明：刺激人體某些穴位可以疏解心煩氣悶，能達到安神的效果，有助於睡眠，也可以輔助保障自己的身體健康。

特效穴位　1. 厥陰俞　2. 心俞　3. 膈俞
另外再加上拔罐脾俞（見 061 頁）、腎俞（見061 頁）效果更佳。

厥陰俞　除煩解悶

定位▶ 位於背部，當第四胸椎棘突下，旁開 1.5 寸。

拔罐▶ 用止血鉗夾住蘸有酒精的棉球，點燃棉球後伸入罐內旋轉一圈馬上抽出，再迅速將火罐扣在厥陰俞穴上。

留罐
10分鐘

心俞 寬胸理氣、通絡安神

定位▸ 位於背部,當第五胸椎棘突下,旁開 1.5 寸。

拔罐▸ 用止血鉗夾住蘸有酒精的棉球,點燃棉球後伸入罐內旋轉一圈馬上抽出,再迅速將火罐扣在心俞穴上。

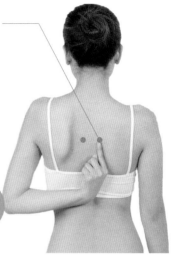

留罐
10分鐘

膈俞 養血和營

定位▸ 位於背部,當第七胸椎棘突下,旁開 1.5 寸。

拔罐▸ 用止血鉗夾住蘸有酒精的棉球,點燃棉球後伸入罐內旋轉一圈馬上抽出,再迅速將火罐扣在膈俞穴上。

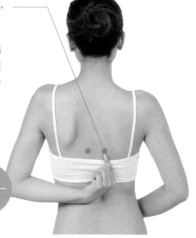

留罐
10分鐘

宣肺理氣

　　肺部疾患在目前臨床上比較常見，是指在外感或內傷等因素影響下，造成的肺臟功能失調和病理變化，經常會有咳嗽、流涕、氣喘等表現。平時可以到空氣新鮮的地方鍛煉，做做深呼吸。研究表明：刺激人體穴位可以滋陰潤肺、開瘀通竅、調理肺氣，在預防肺部疾病方面有很好的效果。

特效穴位　1.大椎　2.肺俞　3.尺澤
另外再加上拔罐中府（見032頁）、身柱（見197頁）效果更佳。

大椎　祛風散寒、解表通陽

定位▶ 位於後正中線上，第七頸椎棘突下凹陷中。

拔罐▶ 用止血鉗夾住蘸有酒精的棉球，點燃棉球後伸入罐內旋轉一圈馬上抽出，再迅速將火罐扣在大椎穴上。

留罐
10分鐘

肺俞 調補肺氣、祛風止痛

定位▸ 位於背部，當第三胸椎棘突下，旁開 1.5 寸。

拔罐▸ 用止血鉗夾住蘸有酒精的棉球，點燃棉球後伸入罐內旋轉一圈馬上抽出，再迅速將火罐扣在肺俞穴上。

留罐
10 分鐘

尺澤 清肺熱、平咳喘

定位▸ 位於肘橫紋中，肱二頭肌腱橈側凹陷處。

拔罐▸ 選擇大小適中的氣罐，用拔罐器將氣罐吸拔在尺澤穴上。對側以同樣的手法操作。

留罐
15 分鐘

補腎強腰

　　從古至今，似乎補腎僅僅是男性的專利，殊不知，夜尿頻多、失眠多夢、腰腿痠軟、脫髮、卵巢早衰、神經衰弱等症狀在現代女性當中也是較為多見的。女性要行經、生產、哺乳，這些都很消耗精、氣、神。研究表明：刺激人體穴位可以疏通經絡，調理人體內部的精、氣、神，補充腎氣，「腎氣足」，則「百病除」。

特效穴位　1. 腎俞　2. 關元　3. 太溪
另外再加上拔罐關元俞（見 115 頁）效果更佳。

腎俞　益腎助陽、調節生殖功能

定位▶ 位於腰部，當第二腰椎棘突下，旁開 1.5 寸。

拔罐▶ 用止血鉗夾住蘸有酒精的棉球，點燃棉球後伸入罐內旋轉一圈馬上抽出，再迅速將火罐扣在腎俞穴上。

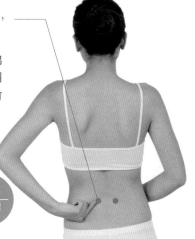

留罐
10 分鐘

關元　固本培元、調理衝任

定位▸ 位於下腹部，前正中線上，當臍中下 3 寸。

拔罐▸ 選擇大小適中的氣罐，拔罐器將氣罐吸拔在關元穴上，注意吸附力不宜過大，以免產生疼痛感。

留罐
15 分鐘

太溪　補益腎氣

定位▸ 位於足內側，內踝後方與腳跟骨筋腱之間的凹陷處。

拔罐▸ 選擇大小適中的氣罐，用拔罐器將氣罐吸拔在太溪穴上。對側以同樣的手法操作。

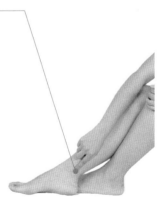

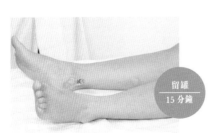

留罐
15 分鐘

瘦身降脂

　　由於現在物質生活的極大豐富和生活條件的極為優越，使得現代人身體裏面的能量攝入與能量消耗，形成了嚴重的不平衡——「入」常常大於了「出」，這也是導致很多人發胖的根本原因。研究表明：刺激人體某些穴位可以舒經活絡，加速體內脂肪的燃燒，促進新陳代謝，從而達到瘦身降脂的效果。

特效穴位　1. 大橫　2. 氣海　3. 箕門
　　　　　　另外加上拔罐豐隆（見 041 頁）、三陰交（見 051 頁）
　　　　　　天樞（見 079 頁）、血海（見 149 頁）效果更佳。

大橫　調理腸胃、溫中散寒

定位▶ 位於腹中部，距臍中 4 寸。

拔罐▶ 選擇大小適中的氣罐，用拔罐器將氣罐吸拔在大橫穴上，注意吸附力不宜過大，以免產生疼痛感。

留罐
15 分鐘

氣海　益氣活絡、調經固經

定位▶ 位於下腹部，前正中線上，當臍中下 1.5 寸。

拔罐▶ 選擇大小適中的氣罐，用拔罐器將氣罐吸拔在氣海穴上，注意吸附力不宜過大，以免產生疼痛感。

留罐
15 分鐘

箕門　健脾滲濕、清熱利尿

定位▶ 位於大腿內側，當血海穴與衝門穴連線上，血海穴上 6 寸。

拔罐▶ 選擇大小適中的氣罐，用拔罐器將氣罐吸拔在箕門穴上，注意吸附力宜稍大，以免氣罐中途脫落。

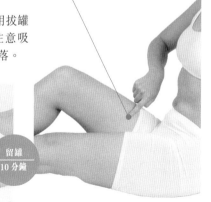

留罐
10 分鐘

調經止帶

每個月有那麼幾天，是女性頗為煩惱的日子。有規律、無疼痛地度過了還算好，如果碰到不按規律「辦事」的時候，的確夠女性朋友們煩的。尤其是當出現月經不調、白帶增多、有異味等症狀時，女性朋友應及時到醫院檢查身體。研究表明：刺激人體某些穴位可以行氣活血，有效地改善痛經、帶下病等。

特效穴位 1. 氣海　2. 血海　3. 三陰交
另外再加上拔罐肝俞（見 045 頁）、關元（見 085 頁）效果更佳。

氣海　益氣助陽、調經固經

定位▸ 位於下腹部，前正中線上，當臍中下 1.5 寸。

拔罐▸ 用止血鉗夾住蘸有酒精的棉球，點燃棉球後伸入罐內旋轉一圈馬上抽出，再迅速將火罐扣在氣海穴上。

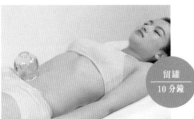

留罐
10 分鐘

血海 健脾化濕、調經統血

定位▸ 位於大腿內側，髕底內側端上 2 寸，當股四頭肌內側頭的隆起處。

拔罐▸ 用止血鉗夾住蘸有酒精的棉球，點燃棉球後伸入罐內旋轉一圈馬上抽出，再迅速將火罐扣在血海穴上。

留罐
15 分鐘

三陰交 健脾利濕、補益肝腎

定位▸ 位於小腿內側，當足內踝尖上 3 寸，脛骨內側緣後方。

拔罐▸ 選擇大小適中的氣罐，用拔罐器將氣罐吸拔在三陰交穴上。對側以同樣的手法操作。

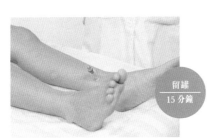

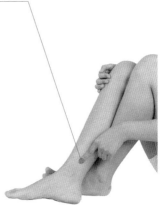

留罐
15 分鐘

排毒通便

　　近年來，患便秘的中、青年人呈明顯上升趨勢，工作壓力大，心理上過度緊張，缺乏身體鍛煉，活動量小，都是導致便秘的主要原因。便秘會導致毒素在體內堆積，影響身體健康。研究表明：刺激人體某些穴位可以調理腸胃、行氣活血、舒經活絡，對防治便秘及習慣性便秘者改善症狀都有良好的效果。

特效穴位　1. 脾俞　2. 大腸俞　3. 天樞
　　　　　　另外再加上拔罐氣海（見 047 頁）、三陰交（見 051 頁）效果更佳。

脾俞　健脾和胃、利濕升清

定位▶ 位於背部，當第十一胸椎棘突下，旁開 1.5 寸。

拔罐▶ 用止血鉗夾住蘸有酒精的棉球，點燃棉球後伸入罐內旋轉一圈馬上抽出，再迅速將火罐扣在脾俞穴上。

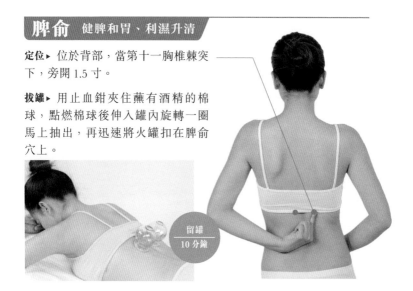

留罐
10 分鐘

大腸俞　理氣降逆、調和腸胃

定位▶ 位於腰部，當第四腰椎棘突下，旁開 1.5 寸。

拔罐▶ 用止血鉗夾住蘸有酒精的棉球，點燃棉球後伸入罐內旋轉一圈馬上抽出，再迅速將火罐扣在大腸俞穴上。

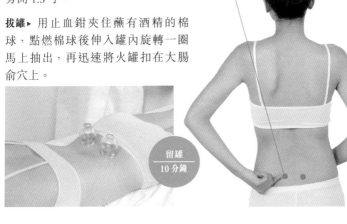

留罐
10 分鐘

天樞　調中和胃、理氣健脾

定位▶ 位於腹中部，距臍中 2 寸。

拔罐▶ 選擇大小適中的氣罐，用拔罐器將兩個氣罐吸拔在兩側天樞穴上，注意吸附力可適當大些，以免氣罐中途脫落。

留罐
15 分鐘

益氣養血

　　氣血對人體最重要的作用就是滋養。氣血充足，則人臉色紅潤，肌膚飽滿豐盈，毛髮潤滑有光澤，精神飽滿，感覺靈敏。若氣血不足皮膚容易粗糙、發暗、發黃、長斑等。研究表明：刺激人體某些穴位可以疏導經絡，利於機體內氣血的運行，可以調養臟腑，達到益氣養血的效果。

特效穴位　1.關元　2.足三里　3.命門
另外再加上拔罐肝俞（見045頁）、氣海（見047頁）、三陰交（見051頁）效果更佳。

關元　固本培元、調理沖任

定位▶ 位於下腹部，前正中線上，當臍中下3寸。

拔罐▶ 用止血鉗夾住蘸有酒精的棉球，點燃棉球後伸入罐內旋轉一圈馬上抽出，再迅速將火罐扣在關元穴上。

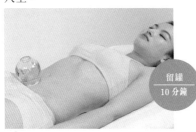

留罐
10分鐘

足三里 扶正培元、通經活絡

定位▶ 位於小腿前外側，當犢鼻下 3 寸，距脛骨前緣一橫指（中指）。

拔罐▶ 選擇大小適中的氣罐，用拔罐器將氣罐吸拔在足三里穴上。對側以同樣的手法操作。

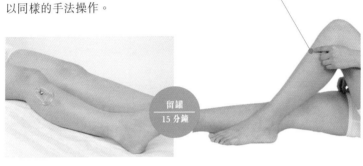

留罐
15 分鐘

命門 補腎壯陽

定位▶ 位於腰部，當後正中線上，第二腰椎棘突下凹陷中。

拔罐▶ 用止血鉗夾住蘸有酒精的棉球，點燃棉球後伸入罐內旋轉一圈馬上抽出，再迅速將火罐扣在命門穴上。

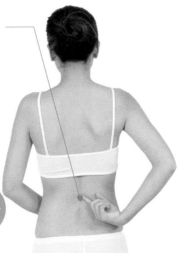

留罐
10 分鐘

強身健體

　　一旦過了 60 歲，人的免疫功能就會開始衰退，這時機體就會出現或多或少的問題。人吃五穀雜糧，沒有不生病的，而疾病和損傷的確是影響健康和長壽的重要因素。研究表明：刺激人體某些穴位可以調和臟腑，使氣血宣通暢達，有效預防和治療各種疾病，達到強身健體的效果。

特效穴位　1. 大椎　2. 腎俞　3. 內關
另外再加上拔罐關元（見 228 頁）、命門（見 229 頁）效果更佳。

大椎　解表通陽、補虛寧神

定位▶ 位於後正中線上，第七頸椎棘突下凹陷中。

拔罐▶ 用止血鉗夾住蘸有酒精的棉球，點燃棉球後伸入罐內旋轉一圈馬上抽出，再迅速將火罐扣在大椎穴上。

留罐
10 分鐘

腎俞　益腎助陽、強腰利水

定位▶ 位於腰部，當第二腰椎棘突下，旁開 1.5 寸。

拔罐▶ 用止血鉗夾住蘸有酒精的棉球，點燃棉球後伸入罐內旋轉一圈馬上抽出，再迅速將火罐扣在腎俞穴上。

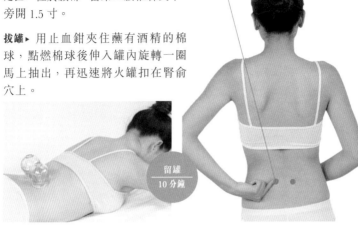

留罐
10 分鐘

內關　寧心安神、理氣止痛

定位▶ 位於前臂掌側，當曲澤穴與大陵穴的連線上，腕橫紋上 2 寸，掌長肌腱與橈側腕屈肌腱之間。

拔罐▶ 選擇大小適中的氣罐，用拔罐器將氣罐吸拔在內關穴上。對側以同樣的手法操作。

留罐
15 分鐘

降壓降糖

　　被稱為「富貴病」的高血壓、高血糖，已如「舊時王謝堂前燕」「飛入尋常百姓家」，它們儼然已是人類致命的「頭號殺手」。在中國的十大死亡原因中，與高血壓、高血糖相關的死亡人數佔總死亡人數的27%。研究表明：刺激人體某些穴位，可以理氣通絡，改善機體生理功能，使代謝系統恢復正常運作。

特效穴位 1.血海　2.足三里　3.大椎　4.心俞　5.內關
另外再加上拔罐肝俞（見045頁）效果更佳。

血海　健脾化濕、調經統血

定位▶ 位於大腿內側，髕底內側端上2寸，當股四頭肌內側頭的隆起處。

拔罐▶ 用止血鉗夾住蘸有酒精的棉球，點燃棉球後伸入罐內旋轉一圈馬上抽出，再迅速將火罐扣在血海穴上。

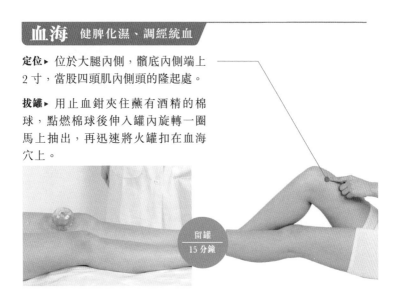

留罐
15分鐘

足三里 扶正培元、通經活絡

定位▶ 位於小腿前外側，當犢鼻下 3 寸，距脛骨前緣一橫指（中指）。

拔罐▶ 選擇大小適中的氣罐，用拔罐器將氣罐吸拔在足三里穴上。對側以同樣的手法操作。

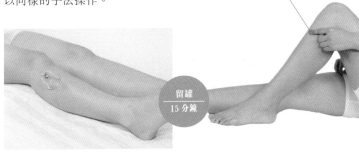

留罐
15 分鐘

大椎 清熱解表、補虛寧神

定位▶ 位於後正中線上，第七頸椎棘突下凹陷中。

拔罐▶ 用止血鉗夾住蘸有酒精的棉球，點燃棉球後伸入罐內旋轉一圈馬上抽出，再迅速將火罐扣在大椎穴上。

留罐
10 分鐘

心俞　寬胸理氣、通絡安神

定位▸ 位於背部，當第五胸椎棘突下，旁開 1.5 寸。

拔罐▸ 用止血鉗夾住蘸有酒精的棉球，點燃棉球後伸入罐內旋轉一圈馬上抽出，再迅速將火罐扣在心俞穴上。

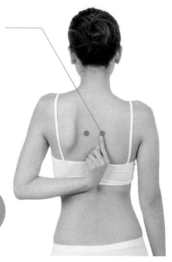

留罐
10 分鐘

內關　寧心安神、理氣止痛

定位▸ 位於前臂掌側，當曲澤穴與大陵穴的連線上，腕橫紋上 2 寸，掌長肌腱與橈側腕屈肌腱之間。

拔罐▸ 選擇大小適中的氣罐，用拔罐器將氣罐吸拔在內關穴上。對側以同樣的手法操作。

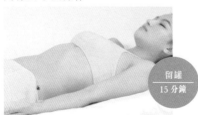

留罐
15 分鐘